16	3	2	13
5	10	11	8
9	6	7	12
4	15	14	1

coleção TRANS

Pierre Lévy

O QUE É O VIRTUAL?

Tradução
Paulo Neves

editora■34

EDITORA 34

Editora 34 Ltda.
Rua Hungria, 592 Jardim Europa CEP 01455-000
São Paulo - SP Brasil Tel/Fax (11) 3811-6777 www.editora34.com.br

Copyright © Editora 34 Ltda. (edição brasileira), 1996
Qu'est-ce que le virtuel? © Éditions La Découverte, Paris, 1995

A FOTOCÓPIA DE QUALQUER FOLHA DESTE LIVRO É ILEGAL E CONFIGURA UMA
APROPRIAÇÃO INDEVIDA DOS DIREITOS INTELECTUAIS E PATRIMONIAIS DO AUTOR.

Edição conforme o Acordo Ortográfico da Língua Portuguesa.

Título original:
Qu'est-ce que le virtuel?

Capa, projeto gráfico e editoração eletrônica:
Bracher & Malta Produção Gráfica

Revisão técnica:
Carlos Irineu da Costa

1ª Edição - 1996 (9 Reimpressões),
2ª Edição - 2011 (3ª Reimpressão - 2023)

Catalogação na Fonte do Departamento Nacional do Livro
   (Fundação Biblioteca Nacional, RJ, Brasil)

<table>
<tr><td></td><td>Lévy, Pierre, 1956-</td></tr>
<tr><td>L668q</td><td>O que é o virtual? / Pierre Lévy; tradução
de Paulo Neves. — São Paulo: Editora 34, 2011
(2ª Edição).
160 p. (Coleção TRANS)</td></tr>
<tr><td></td><td>Tradução de: Qu'est-ce que le virtuel?
Inclui bibliografia</td></tr>
<tr><td></td><td>ISBN 978-85-7326-036-6</td></tr>
<tr><td></td><td>   1. Realidade virtual. I. Título. II. Série.</td></tr>
</table>

CDD - 003.3

O QUE É O VIRTUAL?

Introdução 11

1. O QUE É A VIRTUALIZAÇÃO?

O atual e o virtual 15
A atualização 16
A virtualização 17
Não estar presente: a virtualização como êxodo 19
Novos espaços, novas velocidades 22
O efeito Moebius 24

2. A VIRTUALIZAÇÃO DO CORPO

Reconstruções 27
Percepções 28
Projeções 28
Reviravoltas 29
O hipercorpo 30
Intensificações 31
Resplandecência 33

3. A VIRTUALIZAÇÃO DO TEXTO

A leitura, ou a atualização do texto 35
A escrita, ou a virtualização da memória 37
A digitalização, ou a potencialização do texto 39
O hipertexto: virtualização do texto
    e virtualização da leitura 41
O ciberespaço, ou a virtualização do computador 46
A desterritorialização do texto 47
Rumo a uma ressurgência da cultura do texto 49

4. A VIRTUALIZAÇÃO DA ECONOMIA

Uma economia da desterritorialização 51
O caso das finanças 52

Informação e conhecimento: consumo
não destrutivo e apropriação não exclusiva............. 54
Desmaterialização ou virtualização:
o que é uma informação?........................ 56
Dialética do real e do possível........................... 59
O trabalho 60
A virtualização do mercado............................. 62
Economia do virtual e inteligência coletiva..................... 67

5. As três virtualizações
que fizeram o humano:
a linguagem, a técnica e o contrato

O nascimento das linguagens,
ou a virtualização do presente............................. 71
A técnica, ou a virtualização da ação 73
O contrato, ou a virtualização da violência.................... 77
A arte, ou a virtualização da virtualização 78

6. As operações da virtualização
ou o trívio antropológico

O trívio dos signos............................. 81
O trívio das coisas............................. 83
O trívio dos seres 86
A gramática, fundamento da virtualização..................... 87
A dialética e a retórica, apogeu da virtualização............. 92

7. A virtualização da inteligência
e a constituição do sujeito

A inteligência coletiva na inteligência pessoal:
linguagens, técnicas, instituições 97
Economias cognitivas........................ 99
Máquinas darwinianas........................ 101
As quatro dimensões da afetividade 103
Sociedades pensantes........................ 109
Coletivos humanos e sociedades de insetos..................... 110

A objetivação do contexto partilhado 112
O córtex de Antropia 115

8. A VIRTUALIZAÇÃO DA INTELIGÊNCIA E A CONSTITUIÇÃO DO OBJETO

O problema da inteligência coletiva 119
No estádio 121
Presas, territórios, chefes e sujeitos 123
Ferramentas, narrativas, cadáveres 125
O dinheiro, o capital 126
A comunidade científica e seus objetos 127
O ciberespaço como objeto 128
O que é um objeto? 130
O objeto, o humano 132

9. O QUADRÍVIO ONTOLÓGICO: A VIRTUALIZAÇÃO, UMA TRANSFORMAÇÃO ENTRE OUTRAS 135

Os quatro modos de ser 136
As quatro passagens 138
Misturas 141
Dualidade do acontecimento e da substância 143

Epílogo:
Bem-vindos aos caminhos do virtual 147

Seleção bibliográfica comentada 151

O QUE É O VIRTUAL?

*para Eden e Loup-Noé,
a alegria e a inocência*

INTRODUÇÃO

"O virtual possui uma plena realidade, enquanto virtual"
Gilles Deleuze, *Différence e répétition*

"A realidade virtual corrompe,
a realidade absoluta corrompe absolutamente"
Roy Ascott, *Prix Ars Electronica 1995*

Um movimento geral de virtualização afeta hoje não apenas a informação e a comunicação mas também os corpos, o funcionamento econômico, os quadros coletivos da sensibilidade ou o exercício da inteligência. A virtualização atinge mesmo as modalidades do estar junto, a constituição do "nós": comunidades virtuais, empresas virtuais, democracia virtual... Embora a digitalização das mensagens e a extensão do ciberespaço desempenhem um papel capital na mutação em curso, trata-se de uma onda de fundo que ultrapassa amplamente a informatização.

Deve-se temer uma desrealização geral? Uma espécie de desaparecimento universal, como sugere Jean Baudrillard? Estamos ameaçados por um apocalipse cultural? Por uma aterrorizante implosão do espaço-tempo, como Paul Virilio anuncia há vários anos? Este livro defende uma hipótese diferente, não catastrofista: entre as evoluções culturais em andamento nesta virada do terceiro milênio — e apesar de seus inegáveis aspectos sombrios e terríveis —, exprime-se uma busca da hominização.

Certamente nunca antes as mudanças das técnicas, da economia e dos costumes foram tão rápidas e desestabilizantes. Ora, a virtualização constitui justamente a essência, ou a ponta fina, da mutação em curso. Enquanto tal, a virtualização não é nem boa, nem má, nem neutra. Ela se apresenta como o movimento mesmo do "devir outro" — ou heterogênese — do humano. Antes de temê-la, condená-la ou lançar-se às cegas a ela, proponho que se faça o esforço de apreender, de pensar, de compreender em toda a sua amplitude a virtualização.

Como se verá ao longo deste livro, o virtual, rigorosamente definido, tem somente uma pequena afinidade com o falso, o ilusório ou o imaginário. Trata-se, ao contrário, de um modo de ser fecundo e poderoso, que põe em jogo processos de criação, abre futuros, perfura poços de sentido sob a platitude da presença física imediata.

Muitos filósofos — e não dos menores — já trabalharam sobre a noção de virtual, inclusive alguns pensadores franceses contemporâneos como Gilles Deleuze ou Michel Serres. Qual é, portanto, a ambição da presente obra? É muito simples: não me contentei em definir o virtual como um modo de ser particular, quis também analisar e ilustrar *um processo de transformação de um modo de ser num outro*. De fato, este livro estuda a virtualização que retorna do real ou do atual em direção ao virtual. A tradição filosófica, até os trabalhos mais recentes, analisa a passagem do possível ao real ou do virtual ao atual. Nenhum estudo ainda, ao que eu saiba, analisou a *transformação inversa*, em direção ao virtual. Ora, é precisamente esse retorno à montante que me parece característico tanto do movimento de autocriação que fez surgir a espécie humana quanto da transição cultural acelerada que vivemos hoje. O desafio deste livro é portanto triplo: filosófico (o conceito de virtualização), antropológico (a relação entre o processo de hominização e a virtualização) e sociopolítico (compreender a mutação contemporânea para poder atuar nela). Sobre este último ponto, é preciso dizer que a alternativa maior não coloca em cena uma hesitação grosseiramente alinhavada entre o real e o virtual, mas antes uma escolha entre diversas modalidades de virtualização. Mais que isso, devemos distinguir entre uma virtualização em curso de invenção, de um lado, e suas caricaturas alienantes, reificantes e desqualificantes, de outro. Donde, a meu ver, a urgente necessidade de uma cartografia do virtual à qual responde este "compêndio de virtualização".

No primeiro capítulo, "O que é a virtualização?", defino os principais conceitos de *realidade*, de *possibilidade*, de *atualidade* e de *virtualidade* que serão utilizados a seguir, bem como as diferentes transformações de um modo de ser em outro. Esse capítulo é também a oportunidade de um começo de análise da virtualização propriamente dita, e em particular da "desterritorialização" e outros fenômenos espaçotemporais estranhos que lhe são geralmente associados.

Os três capítulos seguintes dizem respeito à virtualização do *corpo*, do *texto* e da *economia*. Os conceitos obtidos anteriormente são aqui explorados em relação a fenômenos contemporâneos e permitem analisar de maneira coerente a dinâmica da mutação econômica e cultural em curso.

O quinto capítulo analisa a *hominização* nos termos da teoria da virtualização: virtualização do presente imediato pela linguagem, dos atos físicos pela técnica e da violência pelo contrato. Assim, apesar de sua brutalidade e de sua estranheza, a crise de civilização que vivemos pode ser repensada na continuidade da aventura humana.

O capítulo seis, "As operações da virtualização", utiliza os materiais empíricos acumulados nos capítulos precedentes para pôr em evidência o *núcleo invariante de operações elementares presentes em todos os processos de virtualização*: os de uma gramática, de uma dialética e de uma retórica ampliadas para abranger os fenômenos técnicos e sociais.

Os sétimo e oitavo capítulos examinam "A virtualização da inteligência". Apresentam o funcionamento tecnossocial da cognição seguindo uma dialética da objetivação da interioridade e da subjetivação da exterioridade, dialética que veremos ser típica da virtualização. Esses capítulos desembocam em dois resultados principais. Em primeiro lugar, uma visão renovada da *inteligência coletiva* em via de emergência nas redes de comunicação digitais.

Introdução

A seguir, a *construção de um conceito de objeto* (mediador social, suporte técnico e nó das operações intelectuais) que vem rematar a teoria da virtualização.

O nono capítulo resume, sistematiza e relativiza os conhecimentos adquiridos através da obra, e depois esboça o projeto de uma filosofia capaz de acolher a *dualidade do acontecimento e da substância* que será examinada, em filigrana, ao longo de todo o trabalho.

O epílogo, enfim, conclama a uma arte da virtualização, a uma nova sensibilidade estética que, nestes tempos de grande desterritorialização, faria de uma hospitalidade ampliada sua virtude cardinal.

1.
O QUE É A VIRTUALIZAÇÃO?

O ATUAL E O VIRTUAL

Consideremos, para começar, a oposição fácil e enganosa entre real e virtual. No uso corrente, a palavra virtual é empregada com frequência para significar a pura e simples ausência de existência, a "realidade" supondo uma efetuação material, uma presença tangível. O real seria da ordem do "tenho", enquanto o virtual seria da ordem do "terás", ou da ilusão, o que permite geralmente o uso de uma ironia fácil para evocar as diversas formas de virtualização. Como veremos mais adiante, essa abordagem possui uma parte de verdade interessante, mas é evidentemente demasiado grosseira para fundar uma teoria geral.

A palavra virtual vem do latim medieval *virtualis*, derivado por sua vez de *virtus*, força, potência. Na filosofia escolástica, é virtual o que existe em potência e não em ato. O virtual tende a atualizar-se, sem ter passado no entanto à concretização efetiva ou formal. A árvore está virtualmente presente na semente. Em termos rigorosamente filosóficos, o virtual não se opõe ao real mas ao atual: virtualidade e atualidade são apenas duas maneiras de ser diferentes.

Aqui, cabe introduzir uma distinção capital entre possível e virtual que Gilles Deleuze trouxe à luz em *Différence et répétition*.[1] O possível já está todo constituído, mas permanece no

---

[1] As referências completas das obras citadas se encontram na bibliografia comentada ao final deste volume (pp. 151-7).

O que é a virtualização?

limbo. O possível se realizará sem que nada mude em sua determinação nem em sua natureza. É um real fantasmático, latente. O possível é exatamente como o real: só lhe falta a existência. A realização de um possível não é uma criação, no sentido pleno do termo, pois a criação implica também a produção inovadora de uma ideia ou de uma forma. A diferença entre possível e real é, portanto, puramente lógica.

Já o virtual não se opõe ao real, mas sim ao atual. Contrariamente ao possível, estático e já constituído, o virtual é como o complexo problemático, o nó de tendências ou de forças que acompanha uma situação, um acontecimento, um objeto ou uma entidade qualquer, e que chama um processo de resolução: a atualização. Esse complexo problemático pertence à entidade considerada e constitui inclusive uma de suas dimensões maiores. O problema da semente, por exemplo, é fazer brotar uma árvore. A semente "é" esse problema, mesmo que não seja somente isso. Isto significa que ela "conhece" exatamente a forma da árvore que expandirá finalmente sua folhagem acima dela. A partir das coerções que lhe são próprias, deverá inventá-la, coproduzi-la com as circunstâncias que encontrar.

Por um lado, a entidade carrega e produz suas virtualidades: um acontecimento, por exemplo, reorganiza uma problemática anterior e é suscetível de receber interpretações variadas. *Por outro lado, o virtual constitui a entidade*: as virtualidades inerentes a um ser, sua problemática, o nó de tensões, de coerções e de projetos que o animam, as questões que o movem, são uma parte essencial de sua determinação.

A ATUALIZAÇÃO

A atualização aparece então como a solução de um problema, uma solução que não estava contida previamente no enunciado. A atualização é criação, invenção de uma forma a partir de uma configuração dinâmica de forças e de finalidades. Acontece então algo mais que a dotação de realidade a um possível ou que uma escolha entre um conjunto predeterminado: uma produção de qualidades novas, uma transformação das ideias, um verdadeiro devir que alimenta de volta o virtual.

Por exemplo, se a execução de um programa informático, puramente lógica, tem a ver com o par possível/real, a interação entre humanos e sistemas informáticos tem a ver com a dialética do virtual e do atual.

A montante, a redação de um programa, por exemplo, trata um problema de modo original. Cada equipe de programadores redefine e resolve diferentemente o problema ao qual é confrontada. A jusante, a atualização do programa em situação de utilização, por exemplo, num grupo de trabalho, desqualifica certas competências, faz emergir outros funcionamentos, desencadeia conflitos, desbloqueia situações, instaura uma nova dinâmica de colaboração... O programa contém uma virtualidade de mudança que o grupo — movido ele também por uma configuração dinâmica de tropismos e coerções — atualiza de maneira mais ou menos inventiva.

O real assemelha-se ao possível; em troca, o atual em nada se assemelha ao virtual: *responde-lhe*.

A VIRTUALIZAÇÃO

Compreende-se agora a diferença entre a realização (ocorrência de um estado predefinido) e a atualização (invenção de uma solução exigida por um complexo problemático). Mas o que é a *virtualização*? Não mais o virtual como maneira de ser, mas a virtualização como dinâmica. *A virtualização pode ser definida como o movimento inverso da atualização.* Consiste em uma passagem do atual ao virtual, em uma "elevação à potência" da entidade considerada. A virtualização não é uma desrealização (a transformação de uma realidade num conjunto de possíveis), mas uma mutação de identidade, um deslocamento do centro de gravidade ontológico do objeto considerado: em vez de se definir principalmente por sua atualidade (uma "solução"), a entidade passa a encontrar sua consistência essencial num campo problemático. Virtualizar uma entidade qualquer consiste em descobrir uma questão geral à qual ela se relaciona, em fazer mutar a entidade em direção a essa interrogação e em redefinir a atualidade de partida como resposta a uma questão particular.

Tomemos o caso, muito contemporâneo, da "virtualização" de uma empresa. A organização clássica reúne seus empregados no mesmo prédio ou num conjunto de departamentos. Cada empregado ocupa um posto de trabalho precisamente situado e seu livro de ponto especifica os horários de trabalho. Uma empresa virtual, em troca, serve-se principalmente do teletrabalho; tende a substituir a presença física de seus empregados nos mesmos locais pela participação numa rede de comunicação eletrônica e pelo uso de recursos e programas que favoreçam a cooperação. Assim, a virtualização da empresa consiste sobretudo em fazer das coordenadas espaçotemporais do trabalho um problema sempre repensado e não uma solução estável. O centro de gravidade da organização não é mais um conjunto de departamentos, de postos de trabalho e de livros de ponto, mas um processo de coordenação que redistribui sempre diferentemente as coordenadas espaçotemporais da coletividade de trabalho e de cada um de seus membros em função de diversas exigências.

A atualização ia de um problema a uma solução. A virtualização passa de uma solução dada a um (outro) problema. Ela transforma a atualidade inicial em caso particular de uma problemática mais geral, sobre a qual passa a ser colocada a ênfase ontológica. Com isso, a virtualização fluidifica as distinções instituídas, aumenta os graus de liberdade, cria um vazio motor. Se a virtualização fosse apenas a passagem de uma realidade a um conjunto de possíveis, seria desrealizante. Mas ela implica a mesma quantidade de irreversibilidade em seus efeitos, de indeterminação em seu processo e de invenção em seu esforço quanto a atualização. A virtualização é um dos principais vetores da criação de realidade.

Não estar presente:
a virtualização como êxodo[2]

Após ter definido a virtualização no que ela tem de mais geral, vamos abordar agora uma de suas principais modalidades: o desprendimento do aqui e agora. Como assinalamos no começo, o senso comum faz do virtual, inapreensível, o complementar do real, tangível. Essa abordagem contém uma indicação que não se deve negligenciar: o virtual, com muita frequência, "não está presente".

A empresa virtual não pode mais ser situada precisamente. Seus elementos são nômades, dispersos, e a pertinência de sua posição geográfica decresceu muito.

Estará o texto aqui, no papel, ocupando uma porção definida do espaço físico, ou em alguma organização abstrata que se atualiza numa pluralidade de línguas, de versões, de edições, de tipografias? Ora, um texto em particular passa a apresentar-se como a atualização de um hipertexto de suporte informático. Este último ocupa "virtualmente" todos os pontos da rede ao qual está conectada a memória digital onde se inscreve seu código? Ele se estende até cada instalação de onde poderia ser copiado em alguns segundos? Claro que é possível atribuir um endereço a um arquivo digital. Mas, nessa era de informações *on-line*, esse endereço seria de qualquer modo transitório e de pouca importância. Desterritorializado, presente por inteiro em cada uma de suas versões, de suas cópias e de suas projeções, desprovido de inércia,

---

[2] Nesta seção, Pierre Lévy faz uma série de jogos de palavra com o termo francês *"là"*. Se, por um lado, há uma remissão explícita ao *Dasein* de Heidegger, traduzido em português por "ser-aí" e traduzido literalmente em francês por um *"être-là"*, por outro a construção geral do texto em francês é bastante coloquial. Para não dificultar a leitura desta seção, optamos por traduzir *"là"* como "presença", termo mais adequado no contexto. Mantivemos, contudo, a expressão "ser-aí" na passagem em que o autor cita explicitamente o *Dasein* de Heidegger. (N. do T.)

O que é a virtualização?

habitante ubíquo do ciberespaço, o hipertexto contribui para produzir aqui e acolá acontecimentos de atualização textual, de navegação e de leitura. Somente estes acontecimentos são verdadeiramente situados. Embora necessite de suportes físicos pesados para subsistir e atualizar-se, o imponderável hipertexto não possui um lugar.

O livro de Michel Serres, *Atlas*, ilustra o tema do virtual como "não-presença". A imaginação, a memória, o conhecimento, a religião são vetores de virtualização que nos fizeram abandonar a presença muito antes da informatização e das redes digitais. Ao desenvolver esse tema, o autor de *Atlas* leva adiante, indiretamente, uma polêmica com a filosofia heideggeriana do *"ser-aí"*. *"Ser-aí"* é a tradução literal do alemão *Dasein* que significa, em particular, *existência* no alemão filosófico clássico e existência propriamente humana — ser um ser humano — em Heidegger. Mas, precisamente, o fato de não pertencer a nenhum lugar, de frequentar um espaço não designável (onde ocorre a conversação telefônica?), de ocorrer apenas entre coisas claramente situadas, ou de não estar *somente* "presente" (como todo ser pensante), nada disso impede a existência. Embora uma etimologia não prove nada, assinalemos que a palavra existir vem precisamente do latim *sistere*, estar colocado, e do prefixo *ex*, fora de. Existir é estar presente ou abandonar uma presença? *Dasein* ou existência? Tudo se passa como se o alemão sublinhasse a atualização e o latim a virtualização.

Uma comunidade virtual pode, por exemplo, organizar-se sobre uma base de afinidade por intermédio de sistemas de comunicação telemáticos. Seus membros estão reunidos pelos mesmos núcleos de interesses, pelos mesmos problemas: a geografia, contingente, não é mais nem um ponto de partida, nem uma coerção. Apesar de "não-presente", essa comunidade está repleta de paixões e de projetos, de conflitos e de amizades. Ela vive sem lugar de referência estável: em toda parte onde se encontrem seus membros móveis... ou em parte alguma. A virtualização reinventa uma cultura nômade, não por uma volta ao paleolítico nem às antigas civilizações de pastores, mas fazendo surgir um meio de interações sociais onde as relações se reconfiguram com um mínimo de inércia.

Quando uma pessoa, uma coletividade, um ato, uma informação se virtualizam, eles se tornam "não-presentes", se desterritorializam. Uma espécie de desengate os separa do espaço físico ou geográfico ordinários e da temporalidade do relógio e do calendário. É verdade que não são totalmente independentes do espaço-tempo de referência, uma vez que devem sempre se inserir em suportes físicos e se atualizar aqui ou alhures, agora ou mais tarde. No entanto, a virtualização lhes fez tomar a tangente. Recortam o espaço-tempo clássico apenas aqui e ali, escapando a seus lugares comuns "realistas": ubiquidade, simultaneidade, distribuição irradiada ou massivamente paralela. A virtualização submete a narrativa clássica a uma prova rude: unidade de tempo sem unidade de lugar (graças às interações em tempo real por redes eletrônicas, às transmissões ao vivo, aos sistemas de telepresença), continuidade de ação apesar de uma duração descontínua (como na comunicação por secretária eletrônica ou por correio eletrônico). A sincronização substitui a unidade de lugar, e a interconexão, a unidade de tempo. Mas, novamente, nem por isso o virtual é imaginário. Ele produz efeitos. Embora não se saiba onde, a conversação telefônica tem "lugar", veremos de que maneira no capítulo seguinte. Embora não se saiba quando, comunicamo-nos efetivamente por réplicas interpostas na secretária eletrônica. Os operadores mais desterritorializados, mais desatrelados de um enraizamento espaçotemporal preciso, os coletivos mais virtualizados e virtualizantes do mundo contemporâneo são os da tecnociência, das finanças e dos meios de comunicação. São também os que estruturam a realidade social com mais força, e até com mais violência.

Fazer de uma coerção pesadamente atual (a da hora e da geografia, no caso) uma variável contingente tem a ver claramente com o remontar inventivo de uma "solução" efetiva em direção a uma problemática, e portanto com a virtualização no sentido em que a definimos rigorosamente mais acima. Era portanto pre-

O que é a virtualização?

visível encontrar a desterritorialização, a saída da "presença", do "agora" e do "isto" como uma das vias régias da virtualização.

Novos espaços, novas velocidades

Mas o mesmo movimento que torna contingente o espaço-tempo ordinário abre novos meios de interação e ritmo das cronologias inéditas. Antes de analisar essa propriedade capital da virtualização, cabe-nos primeiramente evidenciar a pluralidade dos tempos e dos espaços. Assim que a subjetividade, a significação e a pertinência entram em jogo, não se pode mais considerar uma única extensão ou uma cronologia uniforme, mas uma quantidade de tipos de espacialidade e de duração. *Cada forma de vida inventa seu mundo* (do micróbio à árvore, da abelha ao elefante, da ostra à ave migratória) e, com esse mundo, um espaço e um tempo específicos. O universo cultural, próprio aos humanos, estende ainda mais essa variabilidade dos espaços e das temporalidades. Por exemplo, cada novo sistema de comunicação e de transporte modifica o sistema das proximidades práticas, isto é, o espaço pertinente para as comunidades humanas. Quando se constrói uma rede ferroviária, é como se aproximássemos fisicamente as cidades ou regiões conectadas pelos trilhos e afastássemos desse grupo as cidades não conectadas. Mas, para os que não andam de trem, as antigas distâncias ainda são válidas. O mesmo se poderia dizer do automóvel, do transporte aéreo, do telefone etc. Cria-se, portanto, uma situação em que vários sistemas de proximidades e vários espaços práticos coexistem.

De maneira análoga, diversos sistemas de registro e de transmissão (tradição oral, escrita, registro audiovisual, redes digitais) constroem ritmos, velocidades ou qualidades de história diferentes. Cada novo agenciamento, cada "máquina" tecnossocial acrescenta um espaço-tempo, uma cartografia especial, uma música singular a uma espécie de trama elástica e complicada em que as extensões se recobrem, se deformam e se conectam, em que as durações se opõem, interferem e se respondem. A multiplicação contemporânea dos espaços faz de nós nômades de um novo estilo: em vez de seguirmos linhas de errância e de migração dentro de uma extensão dada, saltamos de uma rede a outra, de um sistema de proximidade ao seguinte. Os espaços se metamorfoseiam e se bifurcam a nossos pés, forçando-nos à heterogênese.

A *virtualização por desconexão em relação a um meio particular* não começou com o humano. Ela está inscrita na própria história da vida. Dos primeiros unicelulares até as aves e mamíferos, os melhoramentos da locomoção abriram, segundo Joseph Reichholf, "espaços sempre mais vastos e possibilidades de existência sempre mais numerosas aos seres vivos" (Reichholf, 1994, p. 222). A invenção de novas velocidades é o primeiro grau da virtualização.

Reichholf observa que "o número de pessoas que se deslocam através dos continentes nos períodos de férias, hoje em dia, é superior ao número total de homens que se puseram a caminho no momento das grandes invasões" (Reichholf, 1994, p. 226). A aceleração das comunicações é contemporânea de um enorme crescimento da mobilidade física. Trata-se na verdade da *mesma* onda de virtualização. O turismo é hoje a primeira indústria mundial em volume de negócios. O peso econômico das atividades que sustentam e mantêm a função de locomoção física (veículos, infraestruturas, carburantes) é infinitamente superior ao que era nos séculos passados. A multiplicação dos meios de comunicação e o crescimento dos gastos com a comunicação acabarão por substituir a mobilidade física? Provavelmente não, pois até agora os dois crescimentos sempre foram paralelos. As pessoas que mais telefonam são também as que mais encontram outras pessoas em carne e osso. Repetimos: aumento da comunicação e generalização do transporte rápido participam do mesmo movimento de virtualização da sociedade, da mesma tensão em sair de uma "presença".

A revolução dos transportes complicou, encurtou e metamorfoseou o espaço, mas isto evidentemente foi pago com im-

O que é a virtualização?

portantes degradações do ambiente tradicional. Por analogia com os problemas da locomoção, devemos nos interrogar sobre o preço a ser pago pela virtualização informacional. Que carburante é queimado, sem que ainda sejamos capazes de contabilizá-lo? O que sofre desgaste e degradação? Há paisagens de dados devastadas? Aqui, o suporte final é subjetivo. Assim como a ecologia opôs a reciclagem e as tecnologias adaptadas ao desperdício e à poluição, a ecologia humana deverá opor a aprendizagem permanente e a valorização das competências à desqualificação e ao acúmulo de detritos humanos (aqueles que chamamos de "excluídos").

Retenhamos dessa meditação sobre a saída da "presença" que a virtualização não se contenta em acelerar processos já conhecidos, nem em colocar entre parênteses, e até mesmo aniquilar, o tempo ou o espaço, como pretende Paul Virilio. Ela inventa, no gasto e no risco, velocidades qualitativamente novas, espaços-tempos mutantes.

O efeito Moebius

Além da desterritorialização, um outro caráter é frequentemente associado à virtualização: a passagem do interior ao exterior e do exterior ao interior. Esse "efeito Moebius" declina-se em vários registros: o das relações entre privado e público, próprio e comum, subjetivo e objetivo, mapa e território, autor e leitor etc. Darei numerosos exemplos disso na continuação deste livro mas, para oferecer desde agora uma imagem, essa ideia pode ser ilustrada com o caso já evocado da virtualização da empresa.

O trabalhador clássico tinha *sua* mesa de trabalho. Em troca, o participante da empresa virtual *compartilha* um certo número de recursos imobiliários, mobiliários e programas com outros empregados. O membro da empresa habitual passava do espaço privado de seu domicílio ao espaço público do lugar de trabalho. Por contraste, o teletrabalhador transforma seu espaço privado em espaço público e vice-versa. Embora o inverso seja geralmente mais verdadeiro, ele consegue às vezes gerir segundo critérios puramente pessoais uma temporalidade pública. Os limites não são mais dados. Os lugares e tempos se misturam. As fronteiras nítidas dão lugar a uma fractalização das repartições. São as próprias noções de privado e de público que são questionadas. Prossigamos: falei de "membro" da empresa, o que supõe uma atribuição clara das relações de pertencimento. Ora, é precisamente isto que começa a criar problema, uma vez que entre o assalariado clássico com contrato indeterminado, o assalariado com contrato determinado, o *free lancer*, o beneficiário de medidas sociais, o membro de uma empresa associada, ou cliente ou fornecedora, o consultor esporádico, o independente fiel, todo um *continuum* estende-se. E para cada ponto do *continuum*, a questão se recoloca a todo instante: para quem estou trabalhando? Os sistemas interempresas de gestão eletrônica de documentos, assim como os grupos de projetos comuns a várias organizações, tecem com frequência ligações mais fortes entre coletivos mistos que as que unem passivamente pessoas pertencendo oficialmente à mesma entidade jurídica. A mutualização dos recursos, das informações e das competências provoca claramente esse tipo de indecisão ou de indistinção ativa, esses circuitos de reversão entre exterioridade e interioridade.

As coisas só têm limites claros no real. A virtualização, passagem à problemática, deslocamento do ser para a questão, é algo que necessariamente põe em causa a identidade clássica, pensamento apoiado em definições, determinações, exclusões, inclusões e terceiros excluídos. Por isso a virtualização é sempre heterogênese, devir outro, processo de acolhimento da alteridade. Convém evidentemente não confundir a heterogênese com seu contrário próximo e ameaçador, sua pior inimiga, a alienação, que eu caracterizaria como reificação, redução à coisa, ao "real".

Todas essas noções vão ser desenvolvidas e ilustradas nos capítulos seguintes sobre três casos concretos: as virtualizações contemporâneas do corpo, do texto e da economia.

O que é a virtualização?

2.
A VIRTUALIZAÇÃO DO CORPO

RECONSTRUÇÕES

Estamos ao mesmo tempo aqui e lá graças às técnicas de comunicação e de telepresença. Os equipamentos de visualização médicos tornam transparente nossa interioridade orgânica. Os enxertos e as próteses nos misturam aos outros e aos artefatos. No prolongamento das sabedorias do corpo e das artes antigas da alimentação, inventamos hoje cem maneiras de nos construir, de nos remodelar: dietética, *body building*, cirurgia plástica. Alteramos nossos metabolismos individuais por meio de drogas ou medicamentos, espécies de agentes fisiológicos transcorporais ou de secreções coletivas... e a indústria farmacêutica descobre regularmente novas moléculas ativas. A reprodução, a imunidade contra as doenças, a regulação das emoções, todas essas performances classicamente privadas, tornam-se capacidades públicas, intercambiáveis, externalizadas. Da socialização das funções somáticas ao autocontrole dos afetos ou do humor pela bioquímica industrial, nossa vida física e psíquica passa cada vez mais por uma "exterioridade" complicada na qual se misturam circuitos econômicos, institucionais e tecnocientíficos. No final das contas, as biotecnologias nos fazem considerar as espécies atuais de plantas ou de animais (e mesmo o gênero humano) como casos particulares e talvez contingentes no seio de um *continuum* biológico virtual muito mais vasto e ainda inexplorado. Como a das informações, dos conhecimentos, da economia e da sociedade, a virtualização dos corpos que experimentamos hoje é uma nova etapa na aventura de autocriação que sustenta nossa espécie.

Percepções

Estudemos agora algumas funções somáticas em detalhe para desmontar o funcionamento do processo contemporâneo de virtualização do corpo. Comecemos pela percepção, cujo papel é trazer o mundo aqui. Essa função é claramente externalizada pelos sistemas de telecomunicação. O telefone para a audição, a televisão para a visão, os sistemas de telemanipulações para o tato e a interação sensório-motora, todos esses dispositivos virtualizam os sentidos. E ao fazê-lo, organizam a colocação em comum dos órgãos virtualizados. As pessoas que veem o mesmo programa de televisão, por exemplo, compartilham o mesmo grande olho coletivo. Graças às máquinas fotográficas, às câmeras e aos gravadores, podemos perceber as sensações de outra pessoa, em outro momento e outro lugar. Os sistemas ditos de realidade virtual nos permitem experimentar, além disso, uma integração dinâmica de diferentes modalidades perceptivas. Podemos quase reviver a experiência sensorial completa de outra pessoa.

Projeções

A função simétrica da percepção é a projeção no mundo, tanto da ação como da imagem. A projeção da ação está evidentemente ligada às máquinas, às redes de transporte, aos circuitos de produção e de transferência da energia, às armas. Nesse caso, um grande número de pessoas compartilham os mesmos enormes braços virtuais e desterritorializados. Inútil desenvolver longamente esse aspecto relacionado mais especificamente à análise do fenômeno técnico.

A projeção da imagem do corpo é geralmente associada à noção de telepresença. Mas a telepresença é sempre mais que a simples projeção da imagem.

O telefone, por exemplo, já funciona como um dispositivo de telepresença, uma vez que não leva apenas uma imagem ou uma representação da voz: transporta a própria voz. O telefone separa a voz (ou corpo sonoro) do corpo tangível e a transmite à distância. Meu corpo tangível está aqui, meu corpo sonoro, desdobrado, está aqui e lá. O telefone já atualiza uma forma parcial de ubiquidade. E o corpo sonoro de meu interlocutor é igualmente afetado pelo mesmo desdobramento. De modo que ambos estamos, respectivamente, aqui e lá, mas com um cruzamento na distribuição dos corpos tangíveis.

Os sistemas de realidade virtual transmitem mais que imagens: uma quase presença. Pois os clones, agentes visíveis ou marionetes virtuais que comandamos por nossos gestos, podem afetar ou modificar outras marionetes ou agentes visíveis, e inclusive acionar à distância aparelhos "reais" e agir no mundo ordinário. Certas funções do corpo, como a capacidade de manipulação ligada à retroação sensório-motora em tempo real, são assim claramente transferidas à distância, ao longo de uma cadeia técnica complexa cada vez mais bem controlada em determinados ambientes industriais.

REVIRAVOLTAS

O que torna o corpo visível? Sua superfície: a cabeleira, a pele, o brilho do olhar. Ora, as imagens médicas nos permitem ver o interior do corpo sem atravessar a pele sensível, sem secionar vasos, sem cortar tecidos. Dir-se-ia que fazem surgir outras peles, dermes escondidas, superfícies insuspeitadas, vindo à tona do fundo do organismo. Raios X, scanners, sistemas de ressonância magnética nuclear, ecografias, câmeras de pósitons virtualizam a superfície do corpo. A partir dessas membranas virtuais, pode--se reconstruir modelos digitais do corpo em três dimensões e, a partir daí, maquetes sólidas que ajudarão os médicos, por exemplo, a preparar uma operação. Pois todas essas peles, todos esses corpos virtuais têm efeitos de atualização muito importantes no diagnóstico médico e na cirurgia. No reino do virtual, a análise

A virtualização do corpo

e a reconstrução do corpo não implica mais a dor nem a morte. Virtualizada, a pele torna-se permeável. Antes que tenham nascido, já é possível conhecer o sexo e quase o rosto dos filhos.

Cada novo aparelho acrescenta um gênero de pele, um corpo visível ao corpo atual. O organismo é revirado como uma luva. O interior passa ao exterior ao mesmo tempo em que permanece dentro. Pelos sistemas de visualização médicos, uma massa folheada de películas prolifera em direção ao centro do corpo. Pela telepresença e pelos sistemas de comunicação, os corpos visíveis, audíveis e sensíveis se multiplicam e se dispersam no exterior. Como no universo de Lucrécio, uma quantidade de peles ou de espectros dermatoides emanam de nosso corpo: os simulacros.

O HIPERCORPO

A virtualização do corpo incita às viagens e a todas as trocas. Os transplantes criam uma grande circulação de órgãos entre os corpos humanos. De um indivíduo a outro, mas também entre os mortos e os vivos. Entre a humanidade, mas igualmente de uma espécie a outra: enxertam-se nas pessoas corações de babuíno, fígados de porco, fazem-nas ingerir hormônios produzidos por bactérias. Os implantes e as próteses confundem a fronteira entre o que é mineral e o que está vivo: óculos, lentes de contato, dentes falsos, silicone, marcapassos, próteses acústicas, implantes auditivos, filtros externos funcionando como rins sadios.

Os olhos (as córneas), o esperma, os óvulos, os embriões e sobretudo o sangue são agora socializados, mutualizados e preservados em bancos especiais. Um sangue desterritorializado corre de corpo em corpo através de uma enorme rede internacional da qual não se pode mais distinguir os componentes econômicos, tecnológicos e médicos. O fluido vermelho da vida irriga um corpo coletivo, sem forma, disperso. A carne e o sangue, postos em comum, deixam a intimidade subjetiva, passam ao exterior. Mas essa carne pública retorna ao indivíduo transplantado, ao beneficiário de uma transfusão, ao consumidor de hormônios. O corpo coletivo acaba por modificar a carne primária. Às vezes, ressuscita-a ou fecunda-a *in vitro*.

A constituição de um corpo coletivo e a participação dos indivíduos nessa comunidade física serviu-se por muito tempo de mediações puramente simbólicas ou religiosas: "Isto é meu corpo, isto é meu sangue". Hoje ela recorre a meios técnicos.

Assim como compartilhamos desde o tempo dos afonsinos uma dose de inteligência e de visão do mundo com os que falam a mesma língua, hoje nos associamos virtualmente num só corpo com os que participam das mesmas redes técnicas e médicas. Cada corpo individual torna-se parte integrante de um imenso hipercorpo híbrido e mundializado. Fazendo eco ao hipercórtex que expande hoje seus axônios pelas redes digitais do planeta, o hipercorpo da humanidade estende seus tecidos quiméricos entre as epidermes, entre as espécies, para além das fronteiras e dos oceanos, de uma margem a outra do rio da vida.

INTENSIFICAÇÕES

Como se fosse para reagir à virtualização dos corpos, nossa época viu desenvolver-se uma prática esportiva que certamente jamais atingiu uma proporção tão grande da população. Não falo aqui dos corpos "sadios" e atléticos postos em cena pelos regimes políticos autoritários ou promovidos pelas revistas de moda e a publicidade, nem mesmo dos esportes de equipe, dos quais tratarei no capítulo sobre a virtualização da inteligência. Refiro-me a esse esforço de ultrapassar limites, de conquistar novos meios, de intensificar as sensações, de explorar outras velocidades que se manifesta numa explosão esportiva específica de nossa época.

Através da natação (esporte muito pouco praticado antes do século XX), domesticamos o meio aquático, aprendemos a perder pé, experimentamos uma maneira nova de sentirmos o mundo e de sermos levados no espaço. Praticado como um lazer,

A virtualização do corpo

o mergulho submarino maximiza essa mudança de meio. A espeleologia, que conduz ao "centro da terra", era pouco praticada antes de Júlio Verne. O alpinismo confronta os corpos ao ar rarefeito, ao frio intenso, à subida implacável. É precisamente por isso que ele se tornou praticamente um esporte de massa. Em cada caso, trata-se do mesmo movimento de saída da norma, de hibridação, de "devires" que tendem quase à metamorfose. Tornar-se peixe, tornar-se cabra-selvagem, tornar-se pássaro ou morcego.

Os mais emblemáticos dentre os esportes extremos de devir e de tensão são as práticas de queda (paraquedas, asa delta, salto com elástico) e de deslizamento (esqui alpino, esqui aquático, surfe e windsurfe). Em um certo sentido, são reações à virtualização. Esses esportes, puramente individuais, não necessitam de grandes equipamentos coletivos e com frequência utilizam apenas artefatos discretos. Acima de tudo, intensificam ao máximo a presença física aqui e agora. Reconcentram a pessoa em seu centro vital, em seu "ponto de ser" mortal. A atualização parece reinar aqui.

E no entanto, tal encarnação máxima neste lugar e nesta hora só se obtém estremecendo os limites. Entre o ar e a água, entre a terra e o céu, entre a base e o vértice, o surfista ou aquele que se lança jamais está inteiramente *presente*. Abandonando o chão e seus pontos de apoio, ele escala os fluxos, desliza nas interfaces, serve-se apenas de linhas de fuga, se vetoriza, se desterritorializa. Cavalgador de ondas, vivendo na intimidade da água, o surfista californiano se metamorfoseia em surfista da Net. Os vagalhões do Pacífico remetem ao dilúvio informacional e o hipercorpo ao hipercórtex. Submisso à gravidade mas jogando com o equilíbrio até tornar-se aéreo, o corpo em queda ou em deslizamento perdeu seu peso. Torna-se velocidade, passagem, sobrevoo. Ascensional mesmo quando parece cair ou correr na horizontal, eis o corpo glorioso daquele que se lança ou do surfista, seu corpo virtual.

RESPLANDECÊNCIA

Portanto o corpo sai de si mesmo, adquire novas velocidades, conquista novos espaços. Verte-se no exterior e reverte a exterioridade técnica ou a alteridade biológica em subjetividade concreta. Ao se virtualizar, o corpo se multiplica. Criamos para nós mesmos organismos virtuais que enriquecem nosso universo sensível sem nos impor a dor. Trata-se de uma desencarnação? Verificamos com o exemplo do corpo que a virtualização não pode ser reduzida a uma processo de desaparecimento ou de desmaterialização. Correndo o risco de sermos redundantes, lembremos que essa virtualização é analisável essencialmente como mudança de identidade, passagem de uma solução particular a uma problemática geral ou transformação de uma atividade especial e circunscrita em funcionamento não localizado, dessincronizado, coletivizado. A virtualização do corpo não é portanto uma desencarnação mas uma reinvenção, uma reencarnação, uma multiplicação, uma vetorização, uma heterogênese do humano. Contudo, o limite jamais está definitivamente traçado entre a heterogênese e a alienação, a atualização e a reificação mercantil, a virtualização e a amputação. Esse limite indeciso deve ser constantemente considerado, avaliado com esforço renovado, tanto pelas pessoas no que diz respeito a sua vida pessoal, quanto pelas sociedades no âmbito das leis.

Meu corpo pessoal é a atualização temporária de um enorme hipercorpo híbrido, social e tecnobiológico. O corpo contemporâneo assemelha-se a uma chama. Frequentemente é minúsculo, isolado, separado, quase imóvel. Mais tarde, corre para fora de si mesmo, intensificado pelos esportes ou pelas drogas, funciona como um satélite, lança algum braço virtual bem alto em direção ao céu, ao longo de redes de interesses ou de comunicação. Prende-se então ao corpo público e arde com o mesmo calor, brilha com a mesma luz que outros corpos-chamas. Retorna em seguida, transformado, a uma esfera quase privada, e assim sucessivamente, ora aqui, ora em toda parte, ora em si, ora misturado. Um dia, separa-se completamente do hipercorpo e se extingue.

A virtualização do corpo

3.
A VIRTUALIZAÇÃO DO TEXTO

A LEITURA, OU A ATUALIZAÇÃO DO TEXTO

Desde suas origens mesopotâmicas, o texto é um objeto virtual, abstrato, independente de um suporte específico. Essa entidade virtual atualiza-se em múltiplas versões, traduções, edições, exemplares e cópias. Ao interpretar, ao dar sentido ao texto aqui e agora, o leitor leva adiante essa cascata de atualizações. Falo especificamente de atualização no que diz respeito à leitura, e não da realização, que seria uma seleção entre possibilidades preestabelecidas. Face à configuração de estímulos, de coerções e de tensões que o texto propõe, a leitura resolve de maneira inventiva e sempre singular o problema do sentido. A inteligência do leitor levanta por cima das páginas vazias uma paisagem semântica móvel e acidentada. Analisemos em detalhe esse trabalho de atualização.

Lemos ou escutamos um texto. O que ocorre? Em primeiro lugar, o texto é esburacado, riscado, semeado de brancos. São as palavras, os membros de frases que não captamos (no sentido perceptivo mas também intelectual do termo). São os fragmentos de texto que não compreendemos, que não conseguimos juntar, que não reunimos aos outros, que negligenciamos. De modo que, paradoxalmente, ler, escutar, é começar a negligenciar, a desler ou desligar o texto.

Ao mesmo tempo que o rasgamos pela leitura ou pela escuta, *amarrotamos* o texto. Dobramo-lo sobre si mesmo. Relacionamos uma à outra as passagens que se correspondem. Os membros esparsos, expostos, dispersos na superfície das páginas ou na linearidade do discurso, costuramo-los juntos: ler um texto é reencontrar os gestos têxteis que lhe deram seu nome.

As passagens do texto mantêm entre si virtualmente uma correspondência, quase que uma atividade epistolar, que atualizamos de um jeito ou de outro, seguindo ou não as instruções do autor. Carteiros do texto, viajamos de uma margem à outra do espaço do sentido valendo-nos de um sistema de endereçamento e de indicações que o autor, o editor, o tipógrafo balizaram. Mas podemos desobedecer às instruções, tomar caminhos transversais, produzir dobras interditas, estabelecer redes secretas, clandestinas, fazer emergir outras geografias semânticas.

Tal é o trabalho da leitura: a partir de uma linearidade ou de uma platitude inicial, esse ato de rasgar, de amarrotar, de torcer, de recosturar o texto para abrir um meio vivo no qual possa se desdobrar o sentido. O espaço do sentido não preexiste à leitura. É ao percorrê-lo, ao cartografá-lo que o fabricamos, que o atualizamos.

Mas enquanto o dobramos sobre si mesmo, produzindo assim sua relação consigo próprio, sua vida autônoma, sua aura semântica, relacionamos também o texto a outros textos, a outros discursos, a imagens, a afetos, a toda a imensa reserva flutuante de desejos e de signos que nos constitui. Aqui, não é mais a unidade do texto que está em jogo, mas a construção de si, construção sempre a refazer, inacabada. Não é mais o sentido do texto que nos ocupa, mas a direção e a elaboração de nosso pensamento, a precisão de nossa imagem do mundo, a culminação de nossos projetos, o despertar de nossos prazeres, o fio de nossos sonhos. Desta vez o texto não é mais amarrotado, dobrado feito uma bola sobre si mesmo, mas recortado, pulverizado, distribuído, avaliado segundo critérios de uma subjetividade que produz a si mesma.

Do texto, propriamente, em breve nada mais resta. No melhor dos casos, teremos, graças a ele, dado um retoque em nossos modelos do mundo. Talvez tenha servido apenas para pôr em ressonância algumas imagens, algumas palavras que já possuíamos. Eventualmente, teremos relacionado um de seus fragmentos,

O que é o virtual?

investido de uma intensidade especial, com determinada zona de nossa arquitetura mnemônica, um outro com determinado trecho de nossas redes intelectuais. Ele nos terá servido de interface com nós mesmos. Só muito raramente nossa leitura, nossa escuta, terá por efeito reorganizar dramaticamente, como por uma espécie de *efeito de limiar* brutal, o novelo enredado de representações e de emoções que nos constitui.

Escutar, olhar, ler equivale finalmente a construir-se. Na abertura ao esforço de significação que vem do outro, trabalhando, esburacando, amarrotando, recortando o texto, incorporando-o em nós, destruindo-o, contribuímos para erigir a paisagem de sentido que nos habita. O texto serve aqui de vetor, de suporte ou de pretexto à atualização de nosso próprio espaço mental.

Confiamos às vezes alguns fragmentos do texto aos povos de signos que nomadizam dentro de nós. Essas insígnias, essas relíquias, esses fetiches ou esses oráculos nada têm a ver com as intenções do autor nem com a unidade semântica viva do texto, mas contribuem para criar, recriar e reatualizar o mundo de significações que somos.

A ESCRITA, OU A VIRTUALIZAÇÃO DA MEMÓRIA

Essa análise é provavelmente aplicável à interpretação de outros tipos de mensagens complexas que não o texto alfabético: ideogramas, diagramas, mapas, esquemas, simulações, mensagens iconográficas ou fílmicas, por exemplo. Deve-se entender "texto" no sentido mais geral: discurso elaborado ou propósito deliberado.

Desde o início deste capítulo, você ainda não leu a palavra "hipertexto". No entanto, não se tratou de outra coisa a não ser disto. Com efeito, hierarquizar e selecionar áreas de sentido, tecer ligações entre essas zonas, conectar o texto a outros documentos, arrimá-lo a toda uma memória que forma como que o fundo sobre o qual ele se destaca e ao qual remete, são outras tantas funções do hipertexto informático.

A virtualização do texto

Uma tecnologia intelectual, quase sempre, exterioriza, objetiviza, virtualiza uma função cognitiva, uma atividade mental. Assim fazendo, reorganiza a economia ou a ecologia intelectual em seu conjunto e modifica em troca a função cognitiva que ela supostamente deveria apenas auxiliar ou reforçar. As relações entre a escrita (tecnologia intelectual) e a memória (função cognitiva) estão aí para testemunhá-lo.

O aparecimento da escrita acelerou um processo de artificialização, de exteriorização e de *virtualização da memória* que certamente começou com a hominização. Virtualização e não simples prolongamento; ou seja, separação parcial de um corpo vivo, colocação em comum, heterogênese. Não se pode reduzir a escrita a um registro da fala. Em contrapartida, ao nos fazer conceber a lembrança como um registro, ela transformou o rosto de Mnemósine.

A semiobjetivação da memória no texto certamente permitiu o desenvolvimento de uma tradição crítica. Com efeito, o escrito cava uma distância entre o saber e seu sujeito. É talvez porque não sou mais o que sei que posso recolocar este saber em questão.

Virtualizante, a escrita dessincroniza e deslocaliza. Ela fez surgir um dispositivo de comunicação no qual as mensagens muito frequentemente estão separadas no tempo e no espaço de sua fonte de emissão, e portanto são recebidas fora de contexto. Do lado da leitura, foi portanto necessário refinar as práticas interpretativas. Do lado da redação, teve-se que imaginar sistemas de enunciados autossuficientes, independentes do contexto, que favoreceram as mensagens que respondem a um critério de universalidade, científica ou religiosa.

Com a escrita, e mais ainda com o alfabeto e a imprensa, os modos de conhecimento teóricos e hermenêuticos passaram portanto a prevalecer sobre os saberes narrativos e rituais das sociedades orais. A exigência de uma verdade universal, objetiva e crítica só pôde se impor numa ecologia cognitiva largamente estruturada pela escrita, ou, mais exatamente, pela escrita sobre suporte estático.

Pois o texto contemporâneo, alimentando correspondências *on-line* e conferências eletrônicas, correndo em redes, fluido, desterritorializado, mergulhado no meio oceânico do ciberespaço, esse texto dinâmico reconstitui, mas de outro modo e numa escala infinitamente superior, a copresença da mensagem e de seu contexto vivo que caracteriza a comunicação oral. De novo, os critérios mudam. Reaproximam-se daqueles do diálogo ou da conversação: pertinência em função do momento, dos leitores e dos lugares virtuais; brevidade, graças à possibilidade de apontar imediatamente as referências; eficiência, pois prestar serviço ao leitor (e em particular ajudá-lo a navegar) é o melhor meio de ser reconhecido sob o dilúvio informacional.

A DIGITALIZAÇÃO, OU A POTENCIALIZAÇÃO DO TEXTO

O novo texto tem, antes de mais nada, características técnicas que convém precisar, e cuja análise está ligada, como veremos, a uma dialética do possível e do real.

O leitor de um livro ou de um artigo no papel se confronta com um objeto físico sobre o qual uma certa versão do texto está integralmente manifesta. Certamente ele pode anotar nas margens, fotocopiar, recortar, colar, proceder a montagens, mas o texto inicial está lá, preto no branco, já realizado integralmente. Na leitura em tela, essa presença extensiva e preliminar à leitura desaparece. O suporte digital (disquete, disco rígido, disco ótico) não contém um texto legível por humanos mas uma série de códigos informáticos que serão eventualmente traduzidos por um computador em sinais alfabéticos para um dispositivo de apresentação. A tela apresenta-se então como uma pequena janela a partir da qual o leitor explora uma reserva potencial.

Potencial e não virtual, pois a entalhe digital e o programa de leitura predeterminam um conjunto de possíveis que, mesmo podendo ser imenso, ainda assim é numericamente finito e logicamente fechado. Aliás, não é tanto a quantidade que distingue o possível do virtual, o essencial está em outro lugar: considerando-se apenas o suporte mecânico (hardware e software), a informática não oferece senão uma combinatória, ainda que infinita, e jamais um campo problemático. O armazenamento em memória digital é uma potencialização, a exibição é uma realização.

Um hipertexto é uma matriz de textos potenciais, sendo que alguns deles vão se realizar sob o efeito da interação com um usuário. Nenhuma diferença se introduz entre um texto possível da combinatória e um texto real que será lido na tela. A maior parte dos programas são máquinas de exibir (realizar) mensagens (textos, imagens etc.) a partir de um dispositivo computacional que determina um universo de possíveis. Esse universo pode ser imenso, ou fazer intervir procedimentos aleatórios, mas ainda assim é inteiramente pré-contido, calculável. Deste modo, seguindo estritamente o vocabulário filosófico, não se deveria falar de imagens virtuais para qualificar as imagens digitais, mas de imagens possíveis sendo exibidas.

O virtual só eclode com a entrada da subjetividade humana no circuito, quando num mesmo movimento surgem a indeterminação do sentido e a propensão do texto a significar, tensão que uma atualização, ou seja, uma interpretação, resolverá na leitura. Uma vez claramente distinguidos esses dois planos, o do par potencial-real e o do par virtual-atual, convém imediatamente sublinhar seu envolvimento recíproco: a digitalização e as novas formas de apresentação do texto só nos interessam porque dão acesso a outras maneiras de ler e de compreender.

Para começar, o leitor em tela é mais "ativo" que o leitor em papel: ler em tela é, antes mesmo de interpretar, enviar um comando a um computador para que projete esta ou aquela realização parcial do texto sobre uma pequena superfície luminosa.

Se considerarmos o computador como uma ferramenta para produzir textos clássicos, ele será apenas um instrumento mais prático que a associação de uma máquina de escrever mecânica, uma fotocopiadora, uma tesoura e um tubo de cola. Um texto impresso em papel, embora produzido por computador, não tem estatuto ontológico nem propriedade estética fundamentalmente diferentes dos de um texto redigido com os instrumentos do século XIX. Pode-se dizer o mesmo de uma imagem ou de um filme feitos por computador e vistos sobre suportes clássicos. Mas se considerarmos o conjunto de todos os textos (de todas as imagens) que o leitor pode divulgar automaticamente interagindo com um computador a partir de uma matriz digital, penetramos num novo universo de criação e de leitura dos signos.

Considerar o computador apenas como um instrumento a mais para produzir textos, sons ou imagens sobre suporte fixo (papel, película, fita magnética) equivale a negar sua fecundidade propriamente cultural, ou seja, o aparecimento de novos gêneros ligados à interatividade.

O computador é, portanto, antes de tudo um operador de *potencialização da informação*. Dito de outro modo: a partir de um estoque de dados iniciais, de um modelo ou de um metatexto, um programa pode calcular um número indefinido de diferentes manifestações visíveis, audíveis e tangíveis, em função da situação em curso ou da demanda dos usuários. Na verdade é somente na tela, ou em outros dispositivos interativos, que o leitor encontra a nova plasticidade do texto ou da imagem, uma vez que, como já disse, o texto em papel (ou o filme em película) forçosamente já está realizado por completo. A tela informática é uma nova "máquina de ler", o lugar onde uma reserva de informação possível vem se realizar por seleção, aqui e agora, para um leitor particular. Toda leitura em computador é uma edição, uma montagem singular.

O HIPERTEXTO: VIRTUALIZAÇÃO DO TEXTO
E VIRTUALIZAÇÃO DA LEITURA

Pode-se dizer que um ato de leitura é uma atualização das significações de um texto, atualização e não realização, já que a interpretação comporta uma parte não eliminável de criação. A hipercontextualização é o movimento inverso da leitura, no sentido em que produz, a partir de um texto inicial, uma reserva textual e instrumentos de composição graças aos quais um navegador poderá projetar uma quantidade de outros textos. *O texto é transformado em problemática textual.* Porém, mais uma vez, só há problemática se considerarmos acoplamentos humanos-máquinas e não processos informáticos apenas. Então se pode falar de virtualização e não mais apenas de potencialização. De fato, o hipertexto não se deduz logicamente do texto fonte. Ele resulta de uma série de decisões: regulagem do tamanho dos nós ou dos módulos elementares, agenciamento das conexões, estrutura da interface de navegação etc. No caso de uma hipercontextalização automática, essas escolhas (a invenção desse hipertexto particular) vão intervir ao nível da concepção e da seleção do programa.

Uma vez enunciadas essas constatações quase técnicas, parece muito difícil falar da potencialização e da virtualização do texto como fenômenos *homogêneos*. Muito pelo contrário, somos confrontados a uma extrema diversidade que se deve essencialmente a três fatores misturados: a natureza da reserva digital inicial, a do programa de consulta e a do dispositivo de comunicação.

Um texto linear clássico, mesmo digitalizado, não será lido como um verdadeiro hipertexto, nem como uma base de dados, nem como um sistema que engendra automaticamente textos em função das interações com as quais o leitor o alimenta.

O leitor estabelece uma relação muito mais intensa com um programa de leitura e de navegação que com uma tela. Será que o programa permite apenas um desenrolar sequencial (como os primeiros programas de tratamento de texto que durante algum tempo fizeram a leitura regredir à manipulação fastidiosa do antigo rolo, aquém inclusive das páginas do códex)? Que funções de pesquisa e de orientação o programa oferece? Ele permite construir vínculos automáticos entre diferentes partes do texto, pode conter anotações de diferentes tipos? Pode o leitor personalizar seu programa de leitura? Eis aí uma série de variáveis importantes que vão influir muito fortemente sobre as operações intelectuais a que o leitor se entregará.

Enfim, o suporte digital permite novos tipos de leituras (e de escritas) coletivas. Um *continuum* variado se estende assim entre a leitura individual de um texto preciso e a navegação em vastas redes digitais no interior das quais um grande número de pessoas anota, aumenta, conecta os textos uns aos outros por meio de ligações hipertextuais.

Um pensamento se atualiza num texto e um texto numa leitura (numa interpretação). Ao remontar essa encosta da atualização, a passagem ao hipertexto é uma virtualização. Não para retornar ao pensamento do autor, mas para fazer do texto atual uma das figuras possíveis de um campo textual disponível, móvel, reconfigurável à vontade, e até para conectá-lo e fazê-lo entrar em composição com outros *corpus* hipertextuais e diversos instrumentos de auxílio à interpretação. Com isso, a hipertextualização multiplica as ocasiões de produção de sentido e permite enriquecer consideravelmente a leitura.

Eis-nos portanto de volta ao problema da leitura. Sabe-se que os primeiros textos alfabéticos não separavam as palavras. Foi só muito progressivamente que foram inventados os espaços em branco entre os vocábulos, a pontuação, os parágrafos, as divisões claras em capítulos, os sumários, os índices, a arte da paginação, a rede de remissão das enciclopédias e dicionários, as notas de pé de página... em suma, tudo o que facilita a leitura e a consulta dos documentos escritos. Contribuindo para dobrar os textos, para estruturá-los, para articulá-los além de sua linearidade, essas tecnologias auxiliares compõem o que poderíamos chamar de uma aparelhagem de leitura artificial.

O hipertexto, hipermídia ou multimídia interativo levam adiante, portanto, um processo já antigo de artificialização da leitura. Se ler consiste em selecionar, em esquematizar, em construir uma rede de remissões internas ao texto, em associar a outros dados, em integrar as palavras e as imagens a uma memória pessoal em reconstrução permanente, *então os dispositivos hipertextuais constituem de fato uma espécie de objetivação, de exteriorização, de virtualização dos processos de leitura.* Aqui, não

A virtualização do texto

consideramos mais apenas os processos técnicos de digitalização e de apresentação do texto, mas a atividade humana de leitura e de interpretação que integra as novas ferramentas.

Como vimos, a leitura artificial existe há muito tempo. Que diferença podemos estabelecer, então, entre o sistema que havia se estabilizado nas páginas dos livros e dos jornais e o que se inventa hoje em suportes digitais?

A abordagem mais simples do hipertexto que, insisto, não exclui nem os sons nem as imagens, é a de descrevê-lo, por oposição a um texto linear, como um texto estruturado em rede. O hipertexto seria constituído de nós (os elementos de informação, parágrafos, páginas, imagens, sequências musicais etc.) e de ligações entre esses nós (referências, notas, indicadores, "botões" que efetuam a passagem de um nó a outro).

A leitura de uma enciclopédia clássica já é de tipo hipertextual, uma vez que utiliza as ferramentas de orientação que são os dicionários, léxicos, índices, thesaurus, atlas, quadros de sinais, sumários e remissões ao final dos artigos. No entanto, o suporte digital apresenta uma diferença considerável em relação aos hipertextos anteriores à informática: a pesquisa nos índices, o uso dos instrumentos de orientação, de passagem de um nó a outro, fazem-se nele com grande rapidez, da ordem de segundos. Por outro lado, a digitalização permite associar na mesma mídia e mixar finamente os sons, as imagens animadas e os textos. Segundo essa primeira abordagem, o hipertexto digital seria portanto definido como uma coleção de informações multimodais disposta em rede para a navegação rápida e "intuitiva".

Em relação às técnicas anteriores de leitura em rede, a digitalização introduz uma pequena revolução copernicana: não é mais o navegador que segue as instruções de leitura e se desloca fisicamente no hipertexto, virando as páginas, transportando pesados volumes, percorrendo com seus passos a biblioteca, mas doravante é um texto móvel, caleidoscópico, que apresenta suas facetas, gira, dobra-se e desdobra-se à vontade diante do leitor. Inventa-se hoje uma nova arte da edição e da documentação que tenta explorar ao máximo uma nova velocidade de navegação em meio a massas de informação que são condensadas em volumes a cada dia menores.

De acordo com uma segunda abordagem, complementar, a tendência contemporânea à hipertextualização dos documentos pode ser definida como uma tendência à indistinção, à mistura das funções de leitura e de escrita. Tocamos aqui o problema da virtualização propriamente dita, que tem por efeito, como ocorre com frequência, colocar em loop a exterioridade e a interioridade, no caso a intimidade do autor e a estranheza do leitor em relação ao texto. Essa passagem contínua de dentro para fora, como num anel de Moebius, caracteriza já a leitura clássica, pois, para compreender, o leitor deve "recriar" o texto mentalmente e portanto entrar dentro dele. Ela diz respeito também à redação, uma vez que a dificuldade de escrever consiste em reler-se para corrigir-se, portanto em um esforço para tornar-se estranho ao próprio texto. Ora, a hipertextualização objetiva, operacionaliza e eleva à potência do coletivo essa identificação cruzada do leitor e do autor.

Consideremos primeiro a coisa do lado do leitor. Se definirmos um hipertexto como um espaço de percursos de leitura possíveis, um texto apresenta-se como uma leitura particular de um hipertexto. O navegador participa assim da redação ou pelo menos da edição do texto que ele "lê", uma vez que determina sua organização final (a *dispositio* da antiga retórica).

O navegador pode se fazer autor de maneira mais profunda do que percorrendo uma rede preestabelecida: participando da estruturação do hipertexto, criando novas ligações. Alguns sistemas registram os caminhos de leitura e reforçam (tornam mais visíveis, por exemplo) ou enfraquecem as ligações em função da maneira como elas são percorridas pela comunidade dos navegadores.

Enfim, os leitores podem não apenas modificar as ligações mas igualmente acrescentar ou modificar nós (textos, imagens etc.), conectar um hiperdocumento a outro e fazer assim de dois hipertextos separados um único documento, ou traçar ligações hipertextuais entre uma série de documentos. Sublinhemos que

A virtualização do texto

essa prática encontra-se hoje em pleno desenvolvimento na Internet, notadamente na World Wide Web. Todos os textos públicos acessíveis pela rede Internet doravante fazem virtualmente parte de um mesmo imenso hipertexto em crescimento ininterrupto. Os hiperdocumentos acessíveis por uma rede informática são poderosos instrumentos de *escrita-leitura coletiva*.

Assim a escrita e a leitura trocam seus papéis. Todo aquele que participa da estruturação do hipertexto, do traçado pontilhado das possíveis dobras do sentido, já é um leitor. Simetricamente, quem atualiza um percurso ou manifesta este ou aquele aspecto da reserva documental contribui para a redação, conclui momentaneamente uma escrita interminável. As costuras e remissões, os caminhos de sentido originais que o leitor inventa podem ser incorporados à estrutura mesma dos *corpus*. A partir do hipertexto, toda leitura tornou-se um ato de escrita.

O ciberespaço, ou a virtualização do computador

Teríamos somente uma visão parcial da virtualização contemporânea do texto e da leitura se a focalizássemos unicamente na passagem do papel à tela do computador. O computador como suporte de mensagens potenciais já se integrou e quase se dissolveu no ciberespaço, essa turbulenta zona de trânsito para signos vetorizados. Antes de abordar a desterritorialização do texto, evoquemos portanto a virtualização do computador.

Durante muito tempo polarizada pela "máquina", balcanizada até recentemente pelos programas, a informática contemporânea — soft e hardware — desconstrói o computador para dar lugar a um espaço de comunicação navegável e transparente centrado nos fluxos de informação.

Computadores de marcas diferentes podem ser montados a partir de componentes quase idênticos, e computadores da mesma marca contêm peças de origens muito diferentes. Por outro lado, componentes de material informático (captadores, memórias, processadores etc.) podem se achar noutras partes que não em computadores propriamente ditos: em cartões eletrônicos, em distribuidores automáticos, robôs, aparelhos eletrodomésticos, nós de redes de comunicação, fotocopiadoras, faxes, câmeras de vídeo, telefones, rádios, televisões... onde quer que a informação digital seja processada automaticamente. Enfim, e sobretudo, um computador ramificado no hiperespaço pode recorrer às capacidades de memória e de cálculo de outros computadores da rede (que, por sua vez, fazem o mesmo), bem como a diversos aparelhos distantes de captura e de apresentação de informação. Todas as funções da informática (captura, digitalização, memória, tratamento, apresentação) são distribuíveis e, cada vez mais, distribuídas. O computador não é um centro mas um pedaço, um fragmento da trama, um componente incompleto da rede calculadora universal. Suas funções pulverizadas impregnam cada elemento do tecnocosmo. No limite, só há hoje um único computador, um único suporte para texto, mas tornou-se impossível traçar seus limites, fixar seu contorno. É um computador cujo centro está em toda parte e a circunferência em nenhuma, um computador hipertextual, disperso, vivo, pululante, inacabado, virtual, um computador de Babel: o próprio ciberespaço.

A DESTERRITORIALIZAÇÃO DO TEXTO

Milhões de pessoas e de instituições no mundo trabalham na construção e na disposição do imenso hipertexto da World Wide Web. Na Web, como em todo hiperdocumento, é preciso distinguir conceitualmente dois tipos de memórias diferentes. De um lado, a reserva textual ou documental multimodal, os dados, um estoque quase amorfo, suficientemente balizado, no entanto, para que seus elementos tenham um endereço. De outro, um conjunto de estruturas, percursos, vínculos ou redes de indicadores, que representa organizações particulares, seletivas e subjetivas do estoque. Cada indivíduo, cada organização são incitados não apenas a aumentar o estoque, mas também a propor aos outros cibernautas um ponto de vista sobre o conjunto, uma estrutura subjetiva. Esses pontos de vista subjetivos se manifestam em particular nas ligações para o exterior associadas às *home pages* afixadas por um indivíduo ou grupo. No ciberespaço, como qualquer ponto é diretamente acessável a partir de qualquer outro, será cada vez maior a tendência a substituir as cópias de documentos por ligações hipertextuais: no limite, basta que o texto exista fisicamente uma única vez na memória de um computador conectado à rede para que ele faça parte, graças a um conjunto de vínculos, de milhares ou mesmo de milhões de percursos ou de estruturas semânticas diferentes. A partir das *home pages* e dos hiperdocumentos *on-line*, pode-se seguir os fios de diversos universos subjetivos.

No mundo digital, a distinção do original e da cópia há muito perdeu qualquer pertinência. O ciberespaço está misturando as noções de unidade, de identidade e de localização.

Os vínculos podem remeter a endereços que abrigam não um texto definido mas dados atualizados em tempo real: resultados estatísticos, situações políticas, imagens do mundo transmitidas por satélite... Assim, como o rio de Heráclito, o hipertexto jamais é duas vezes o mesmo. Alimentado por captadores, ele abre uma janela para o fluxo cósmico e a instabilidade social.

Os dispositivos hipertextuais nas redes digitais *desterritorializaram* o texto. Fizeram emergir um texto sem fronteiras nítidas, sem interioridade definível. Não há mais um *texto*, discernível e individualizável, mas apenas *texto*, assim como não há *uma água* e *uma areia*, mas apenas *água* e *areia*. O texto é posto em movimento, envolvido em um fluxo, vetorizado, metamórfico. Assim está mais próximo do próprio movimento do pensamento, ou da imagem que hoje temos deste. Perdendo sua afinidade com as ideias imutáveis que supostamente dominariam o mundo sensível, o texto torna-se análogo ao universo de processos ao qual se mistura.

O texto continua subsistindo, mas a página furtou-se. A página, isto é, o *pagus* latino, esse campo, esse território cercado pelo branco das margens, lavrado de linhas e semeado de letras e de caracteres pelo autor; a página, ainda carregada da argila mesopotâmica, aderindo sempre à terra do neolítico, essa página muito antiga se apaga lentamente sob a inundação informacional, seus signos soltos vão juntar-se à torrente digital.

É como se a digitalização estabelecesse uma espécie de imenso plano semântico, acessível em todo lugar, e que todos pudessem ajudar a produzir, a dobrar diversamente, a retomar, a modificar, a dobrar de novo... Há necessidade de sublinhar isto? As formas econômicas e jurídicas herdadas do período precedente impedem hoje que esse movimento de desterritorialização chegue a seu termo.

A análise vale igualmente para as imagens que, virtualmente, não constituem mais senão um único hiperícone, sem limites, caleidoscópico, em crescimento, sujeito a todas as quimeras. E as músicas, elevando-se dos bancos de efeitos sonoros, dos repertórios de timbres organizados em amostras, dos programas de síntese, de sequenciamento e de arranjo automáticos, as músicas do ciberespaço compõem juntas uma inaudível polifonia... ou se perdem em cacofonia.

A interpretação, isto é, a produção do sentido, doravante não remete mais exclusivamente à interioridade de uma intenção, nem a hierarquias de significações esotéricas, mas antes à apropriação sempre singular de um navegador ou de uma surfista. O sentido emerge de efeitos de pertinência locais, surge na intersecção de um plano semiótico desterritorializado e de uma trajetória de eficácia ou prazer. Não me interesso mais pelo que pensou um autor inencontrável, peço ao texto para me fazer pensar, aqui e agora. A virtualidade do texto alimenta minha inteligência em ato.

Rumo a uma ressurgência da cultura do texto

Se ler consiste em hierarquizar, selecionar, esquematizar, construir uma rede semântica e integrar ideias adquiridas a uma memória, então as técnicas digitais de hipertextualização e de navegação constituem de fato uma espécie de virtualização técnica ou de exteriorização dos processos de leitura.

Graças à digitalização, o texto e a leitura receberam hoje um novo impulso, e ao mesmo tempo uma profunda mutação. Pode-se imaginar que os livros, os jornais, os documentos técnicos e administrativos impressos no futuro serão apenas, em grande parte, projeções temporárias e parciais de hipertextos *on-line* muito mais ricos e sempre ativos. Posto que a escrita alfabética hoje em uso estabilizou-se sobre um suporte estático, e em função desse suporte, é legítimo indagar se o aparecimento de um suporte dinâmico não poderia suscitar a invenção de novos sistemas de escrita que explorariam melhor as novas potencialidades. Os "ícones" informáticos, certos videogames, as simulações gráficas interativas utilizadas pelos cientistas representam os primeiros passos em direção a uma futura ideografia dinâmica.

A multiplicação das telas anuncia o fim do escrito, como dão a entender certos profetas da desgraça? Essa ideia é muito provavelmente errônea. Certamente o texto digitalizado, fluido, reconfigurável à vontade, que se organiza de um modo não linear, que circula no interior de redes locais ou mundiais das quais cada participante é um autor e um editor potencial, esse texto diferencia-se do impresso clássico.

Mas convém não confundir o texto nem com o modo de difusão unilateral que é a imprensa, nem com o suporte estático que é o papel, nem com uma estrutura linear e fechada das mensagens. A cultura do texto, com o que ela implica de diferido na expressão, de distância crítica na interpretação e de remissões cerradas no interior de um universo semântico de intertextualidade é, ao contrário, levada a um imenso desenvolvimento no novo espaço de comunicação das redes digitais. Longe de aniquilar o texto, a virtualização parece fazê-lo coincidir com sua essência subitamente desvelada. Como se a virtualização contemporânea realizasse o devir do texto. Enfim, como se saíssemos de uma certa pré-história e a aventura do texto começasse realmente. Como se acabássemos de inventar a escrita.

4.
A VIRTUALIZAÇÃO DA ECONOMIA

UMA ECONOMIA DA DESTERRITORIALIZAÇÃO

A economia contemporânea é uma economia da desterritorialização ou da virtualização. O principal setor mundial em volume de negócios, lembremos, é o do turismo: viagens, hotéis, restaurantes. A humanidade jamais dedicou tantos recursos a não estar presente, a comer, dormir, viver fora de sua casa, a se afastar de seu domicílio. Se acrescentarmos ao volume de negócios do turismo propriamente dito o das indústrias que fabricam veículos (carros, caminhões, trens, metrôs, barcos, aviões etc.), carburantes para os veículos e infraestruturas (estradas, aeroportos...), chegaremos a cerca de metade da atividade econômica mundial a serviço do transporte. O comércio e a distribuição, por sua vez, fazem viajar signos e coisas. Os meios de comunicação eletrônicos e digitais não substituíram o transporte físico, muito pelo contrário: comunicação e transporte, como já sublinhamos, fazem parte da mesma onda de virtualização geral. Pois ao setor da desterritorialização física, cumpre evidentemente acrescentar as telecomunicações, a informática, os meios de comunicação, que são outros setores ascendentes da economia do virtual. O ensino e a formação, bem como as indústrias da diversão, trabalhando para a heterogênese dos espíritos, não produzem outra coisa senão o virtual. Quanto ao poderoso setor da saúde — medicina e farmácia —, como vimos num capítulo precedente, ele virtualiza os corpos.

O CASO DAS FINANÇAS

O setor financeiro, coração pulsante da economia mundial, é sem dúvida uma das atividades mais características da escalada da virtualização.

A moeda, que é a base das finanças, dessincronizou e deslocalizou em grande escala o trabalho, a transação comercial e o consumo, que por muito tempo intervieram nas mesmas unidades de tempo e de lugar. Enquanto objeto virtual, a moeda é evidentemente mais fácil de trocar, de partilhar e de existir em comum que entidades mais concretas como terra ou serviços. Reencontramos na invenção e no desenvolvimento da moeda (e dos instrumentos financeiros mais complexos) os traços distintivos da virtualização, que são não apenas o arrancar-se ao aqui e agora ou a desterritorialização, mas igualmente a passagem ao público, ao anônimo, a possibilidade de partilha e de troca, a substituição parcial do jogo incessante das negociações e das relações de força individuais por um mecanismo impessoal. A letra de câmbio faz circular um reconhecimento de dívida de uma moeda a outra e de uma pessoa a outra, o contrato de seguro mutualiza os riscos, a sociedade por ações elabora a propriedade e o investimento coletivo. Outras tantas invenções que prolongam as da moeda e que acentuam a virtualização da economia.

Atualmente, as finanças (bancos, seguradoras) constituem entre 5% e 7% do PIB dos países industrializados (Goldfinger, 1994). Os fluxos financeiros mundiais são superiores aos do comércio internacional e, no interior mesmo do setor financeiro, o crescimento dos produtos derivados (espécies de seguros sobre os produtos clássicos e virtuais por excelência) é mais acentuado que a média. De maneira mais geral, a primazia crescente da economia monetária e dos imperativos financeiros é uma das manifestações mais notáveis da virtualização em curso. Em números absolutos, o maior mercado do mundo é o da própria moeda, o mercado cambial, mais importante que o dos títulos e o das ações.

Como funcionam os mercados financeiros? Os raciocínios dos operadores financeiros baseiam-se essencialmente no raciocínio dos outros operadores financeiros, como numa multidão em que cada membro praticasse a psicologia das multidões. Os "argumentos" desses raciocínios são sobretudo os indicadores econômicos publicados pelos governos e pelos organismos de estatísticas, bem como os preços, cotações e taxas dos diferentes papéis, ações e instrumentos financeiros. Ora, esses preços, cotações e taxas são eles próprios "conclusões" a que chega o mercado após um raciocínio coletivo, paralelo e distribuído. O mercado financeiro certamente leva em conta dados "exteriores" a seu próprio funcionamento (guerras, eleições etc.), mas trabalha antes de tudo de um modo recursivo a partir dos resultados de suas próprias operações. Mais: conforme vimos, cada um de seus "processadores" elementares simula grosseiramente o funcionamento do conjunto.

Poderíamos arriscar um paralelo com boa parte da arte contemporânea, que faz muito mais referência a si mesma e à sua própria história que a qualquer outra coisa: citações, derrisões, diferenciações, trabalhos sobre o limite ou a identidade da arte etc. Do mesmo modo que nas finanças, as principais operações da arte contemporânea incidem sobre o julgamento dos outros, a obra intervindo como vetor, indicador ou comutador na dinâmica recursiva do julgamento coletivo.

Para voltar à virtualização da economia, os bancos de dados *on-line*, sistemas especialistas e outros instrumentos informáticos tornam cada vez mais transparentes a si mesmos os "raciocínios do mercado". As finanças internacionais desenvolvem-se em estreita simbiose com as redes e as tecnologias de suporte digital. Elas tendem a uma espécie de inteligência coletiva distribuída para a qual o dinheiro e a informação progressivamente se equivalem.

Claro que se trata de uma inteligência coletiva grosseira, uma vez que conhece um único critério de avaliação ou, se preferirem, um único "valor". Por outro lado, sua dinâmica global,

A virtualização da economia

mesmo sendo caótica, com frequência imprevisível e sujeita a arrebatamentos, seria antes convergente, no sentido em que (contrariamente à evolução biológica, por exemplo) não mantém simultaneamente abertos vários caminhos de diferenciação. Pode-se sonhar com uma atividade financeira ainda mais inteligente, capaz de explorar várias hipóteses de avaliação ao mesmo tempo, que daria prova de imaginação e projetaria vários futuros em vez de reagir principalmente de um modo reflexo.

INFORMAÇÃO E CONHECIMENTO: CONSUMO NÃO DESTRUTIVO E APROPRIAÇÃO NÃO EXCLUSIVA

Além dos setores da virtualização propriamente dita, como o turismo, as comunicações e as finanças, o conjunto das atividades depende hoje, a montante, dos bens econômicos muito particulares que são as informações e os conhecimentos.

A informação e o conhecimento, de fato, são doravante a principal fonte de produção de riqueza. Poder-se-ia retorquir que isto sempre foi assim: o caçador, o camponês, o mercador, o artesão, o soldado deviam necessariamente adquirir certas competências e se informar sobre seu ambiente para executar suas tarefas. Mas a relação com o conhecimento que experimentamos desde a Segunda Guerra Mundial, e sobretudo depois dos anos setenta, é radicalmente nova. Até a segunda metade do século XX, uma pessoa praticava no final de sua carreira as competências adquiridas em sua juventude. Mais do que isto, transmitia geralmente seu saber, quase inalterado, a seus filhos ou a aprendizes. Hoje, esse esquema está em grande parte obsoleto. As pessoas não apenas são levadas a mudar várias vezes de profissão em sua vida, como também, no interior da mesma "profissão", os conhecimentos têm um ciclo de renovação cada vez mais curto (três anos, ou até menos, em informática, por exemplo). Tornou-se difícil designar as competências "de base" num domínio.

Novas técnicas ou novas configurações socioeconômicas podem a todo momento recolocar em questão a ordem e a importância dos conhecimentos.

Passou-se portanto da aplicação de saberes estáveis, que constituem o plano de fundo da atividade, à aprendizagem permanente, à navegação contínua num conhecimento que doravante se projeta em primeiro plano. O saber prendia-se ao fundamento, hoje se mostra como figura móvel. Tendia para a contemplação, para o imutável, ei-lo agora transformado em fluxo, alimentando as operações eficazes, ele próprio operação. Além disso, não é mais apenas uma casta de especialistas mas a grande massa das pessoas que são levadas a aprender, transmitir e produzir conhecimentos de maneira cooperativa em sua atividade cotidiana.

As informações e os conhecimentos passaram a constar entre os bens econômicos primordiais, o que nem sempre foi verdade. Ademais, sua posição de infraestrutura — fala-se de infostrutura —, de fonte ou de condição determinante para todas as outras formas de riqueza tornou-se evidente, enquanto antes se mantinha na penumbra.

Ora, os novos recursos chaves são regidos por duas leis que tomam pelo avesso os conceitos e os raciocínios econômicos clássicos: consumi-los não os destrói, e cedê-los não faz com que sejam perdidos. Quem dá um saco de trigo, um carro, uma hora de trabalho ou uma soma em dinheiro perdeu algo em proveito de um outro. Quer se fabrique farinha, se ande de carro, se explore o trabalho de um operário ou se gaste dinheiro, um processo irreversível efetua-se: desgaste, gasto, transformação, consumo.

A economia repousa largamente sobre o postulado da raridade dos bens. A própria raridade se funda sobre o caráter destruidor do consumo, bem como sobre a natureza exclusiva ou privativa da cessão ou da aquisição. Ora, uma vez mais, se transmito a você uma informação, não a perco, e se a utilizo, não a destruo. Como a informação e o conhecimento estão na fonte das outras formas de riqueza e como figuram entre os bens econômi-

A virtualização da economia

cos principais de nossa época, podemos considerar a emergência de uma economia da abundância, cujos conceitos, e sobretudo as práticas, estariam em profunda ruptura com o funcionamento da economia clássica. Na verdade, vivemos já mais ou menos sob esse regime, mas continuamos a nos servir dos instrumentos doravante inadequados da economia de raridade (Goldfinger, 1994).

DESMATERIALIZAÇÃO OU VIRTUALIZAÇÃO: O QUE É UMA INFORMAÇÃO?

O que, na natureza da informação e do conhecimento, lhes confere propriedades econômicas tão particulares? A primeira resposta que vem ao espírito é que se trata de bens "imateriais". Examinemos atentamente essa proposição. Ela supõe em primeiro lugar uma metafísica da substância. Haveria coisas "materiais" e coisas "imateriais". Ora, mesmo os bens ditos materiais valem principalmente por suas formas, suas estruturas, suas propriedades em contexto, ou seja, em fim de contas, por sua dimensão "imaterial". Rigorosamente falando, entre os bens puramente materiais só se encontrariam as matérias-primas. Inversamente, não se pode separar as informações de um suporte físico qualquer, sob pena de destruí-las. Claro que é possível recopiá-las, transmiti-las, multiplicá-las facilmente. Mas, se todos os lugares de inscrição "material" desaparecessem, a informação desapareceria para sempre. Quanto ao conhecimento que um ser humano possui, ele está ainda mais ligado à "matéria", pois supõe um corpo vivo e uns dois quilos de massa cinzenta e úmida em condições de funcionamento. Mas, dirá você, o ponto essencial aqui é que o conhecimento possa passar de um cérebro a outro, que ele não esteja necessariamente ligado a uma única pessoa. Precisamente: o conhecimento e a informação não são "imateriais" e sim desterritorializados; longe de estarem exclusivamente presos a um suporte privilegiado, eles podem viajar. Mas informação e conhecimento tampouco são "materiais"! A alternativa do material e do imaterial vale apenas para substâncias, coisas, ao passo que a informação e o conhecimento são da ordem do acontecimento ou do processo.

Segundo a teoria matemática da comunicação, uma informação é um acontecimento que provoca uma redução de incerteza acerca de um ambiente dado. Nessa teoria, não se considera que um universo de signos e a ocorrência de cada signo numa mensagem estejam associados a uma informação mensurável. Por exemplo, a ocorrência de cada letra deste texto traz uma informação, que será tanto maior quanto mais improvável ela for. Ora, uma ocorrência não é uma coisa. Não é material como uma maçã, nem imaterial como uma alma imortal. Simetricamente, uma coisa não é nem provável nem improvável. Somente um acontecimento ou um "fato" pode estar ligado a uma probabilidade, é portanto ser informativo, como por exemplo, justamente, o fato de tal coisa estar presente agora ou não existir. Intuitivamente, sentimos claramente que a informação está ligada a uma probabilidade subjetiva de ocorrência ou de aparecimento: um fato inteiramente previsível nada nos ensina, enquanto um acontecimento surpreendente nos traz realmente uma informação.

Estudemos agora cuidadosamente a natureza da informação. Suponhamos que uma eleição tenha se realizado num certo país. Essa eleição produziu-se num certo lugar e num momento preciso. Enquanto tal, esse acontecimento é indissociável de um "aqui e agora" particular. Diz-se justamente que a eleição teve "lugar". Diremos que se trata de um acontecimento *atual*. Numa primeira aproximação, quando as agências de notícias a anunciam ou a comentam, elas não difundem o acontecimento propriamente dito, mas uma mensagem que lhe diz respeito. Diremos que, se o acontecimento é atual, a produção e a difusão de mensagens a seu respeito constituem uma *virtualização* do acontecimento, provida de todos os atributos que até aqui associamos à virtualização: desprendimento de um aqui e agora particular, passagem ao público e sobretudo heterogênese. Com efeito, as mensagens que virtualizam o acontecimento são ao mesmo tempo seu prolon-

A virtualização da economia

gamento, elas participam de sua efetuação, de sua determinação inacabada, fazem parte dela. Graças à imprensa e a seus comentários, o resultado da eleição repercute desta ou daquela maneira sobre o mercado financeiro de um país estrangeiro. Em determinado dia, na Bolsa de determinada capital econômica, transações singulares se produziram: o acontecimento continua a se *atualizar* em tempos e lugares particulares. Mas essa atualização adquire ela mesma a forma de produção de mensagens e de informações, de microvirtualizações. Reencontramos aí nosso tema do anel de Moebius: a mensagem sobre o acontecimento é ao mesmo tempo e indissoluvelmente uma sequência do acontecimento. O mapa (a mensagem) faz parte do território (o acontecimento) e o território é largamente constituído de uma adição indefinida, de uma articulação dinâmica, de uma rede de mapas em expansão. Dito de outro modo, tudo o que é da ordem do acontecimento tem a ver com uma dinâmica da atualização (territorialização, instanciação aqui e agora, solução particular) e da virtualização (desterritorialização, desprendimento, colocação em comum, elevação à problemática). Acontecimentos e informações sobre os acontecimentos trocam suas identidades e suas funções a cada etapa da dialética dos processos significantes.

Por que o consumo de uma informação não é destrutivo e sua posse não é exclusiva? Porque a informação é virtual. Conforme já sublinhamos amplamente, um dos principais caracteres distintivos da virtualidade é seu desprendimento de um aqui e agora particular, e por isso posso dar um bem virtual, por essência desterritorializado, sem perdê-lo. Por outro lado, lembremo--nos de que o virtual pode ser assimilado a um problema e o atual a uma solução. A atualização não é portanto uma destruição mas, ao contrário, uma produção inventiva, um ato de criação. Quando utilizo a informação, ou seja, quando a interpreto, ligo-a a outras informações para fazer sentido ou, quando me sirvo dela para tomar uma decisão, atualizo-a. Efetuo portanto um ato criativo, produtivo. O conhecimento, por sua vez, é o fruto de uma aprendizagem, ou seja, o resultado de uma virtualização da experiência imediata. Em sentido inverso, este conhecimento pode ser aplicado, ou melhor, ser atualizado em situações diferentes daquelas da aprendizagem inicial. Toda aplicação efetiva de um saber é uma resolução inventiva de um problema, uma pequena criação.

Dialética do real e do possível

Voltemos agora a nossos sacos de trigo e nossos carros. Sua produção e seu consumo está menos ligada a uma dialética da atualização e da virtualização que a uma alternativa do possível e do real. Em vez de permanecer fascinado por sua natureza "material", deve-se tentar compreender o tipo de dinâmica no qual se inscreve seu uso. Os bens cujo consumo é destrutivo e a apropriação é exclusiva são reservatórios de possibilidades, "potenciais". Seu consumo (comer o trigo, conduzir o carro) equivale a uma realização, isto é, a uma escolha exclusiva e irreversível entre os possíveis, a uma "queda de potencial". A realização só confere existência a certas possibilidades em detrimento de outras. Os possíveis são candidatos e não um campo problemático, a realização é uma eleição ou uma seleção e não uma resolução inventiva de um problema. O bem virtual coloca um problema, abre um campo de interpretação, de resolução ou de atualização, enquanto um envoltório de possibilidades presta-se apenas a uma realização exclusiva. Potencial de realidade, o bem destrutível e privativo não pode estar ao mesmo tempo aqui e lá, desprendido do aqui e agora. Ele é regido pela lei da exclusão mútua: ou... ou... Não fosse assim, poderia se realizar de duas maneiras diferentes em dois lugares e dois momentos distintos, o que, por definição, é... impossível. As reservas de possíveis, os bens cujo consumo é uma realização, não podem portanto ser separados de seu suporte físico.

Para evitar qualquer mal-entendido, sublinhemos de imediato que se trata aqui de distinções conceituais e não de um princípio de classificação exclusivo. Uma obra de arte, por exemplo, possui simultaneamente aspectos de possibilidade e de virtualidade. Enquanto fonte de prestígio e de aura ou como puro valor mercantil, um quadro é uma reserva de possíveis (o "original") que não podem se realizar (exposição, venda) simultaneamente aqui e ali. Enquanto portador de uma imagem a interpretar, de uma tradição a prosseguir ou a contradizer, enquanto acontecimento na história cultural, um quadro é um objeto virtual do qual o original, as cópias, gravuras, fotos, reproduções, digitalizações, colocações em rede interativa são outras tantas atualizações. Cada efeito mental ou cultural produzido por uma dessas atualizações é, por sua vez, uma atualização do quadro.

O TRABALHO

Na instituição clássica do trabalho, tal como foi fixada no século XIX, o operário vende sua força de trabalho e recebe um salário em troca. A força de trabalho é um trabalho possível, um potencial já determinado pela organização burocrática da produção. É um potencial, ainda, já que uma hora dada é irremediavelmente perdida. O trabalho assalariado é uma queda de potencial, uma realização, por isso pode ser medido por hora.

Em contrapartida, o trabalhador contemporâneo tende a vender não mais sua força de trabalho, mas sua competência, ou melhor, uma capacidade continuamente alimentada e melhorada de aprender e inovar, que pode se atualizar de maneira imprevisível em contextos variáveis. À força de trabalho do assalariado clássico, um potencial, sucede portanto uma competência, um saber-ser, ou mesmo um saber-devir, que tem a ver com o virtual. Como toda virtualidade, e contrariamente ao potencial, a competência não se consome quando utilizada, muito pelo contrário. E aí está o centro do problema: a atualização da competência, ou seja, a eclosão de uma qualidade no contexto vivo, é bem mais difícil de avaliar que a realização de uma força de trabalho.

Em verdade, o trabalho jamais foi pura execução. Se pôde ser tomado como uma queda de potencial, uma realização, foi apenas em consequência de uma violência social que negava (embora utilizando) seu caráter de atualização criadora.

Uma coisa é certa, a hora uniforme do relógio não é mais a unidade pertinente para a medida do trabalho. Essa inadequação há muito era flagrante para a atividade dos artistas e dos intelectuais, mas hoje se estende progressivamente ao conjunto das atividades. Compreende-se por que a redução do tempo de trabalho não pode ser uma solução a longo prazo para o problema do desemprego: ela pereniza, com um sistema de medida, uma concepção do trabalho e uma organização da produção condenadas pela evolução da economia e da sociedade. Só se pode medir — e portanto remunerar — legitimamente um trabalho por hora quando se trata de uma força de trabalho-potencial (já determinado, pura execução) que se realiza. Um saber alimentado, uma competência virtual que se atualiza, é uma resolução inventiva de um problema numa situação nova. Como avaliar a reserva de inteligência? Certamente não pelo diploma. Como medir a qualidade em contexto? Não será usando um relógio. No domínio do trabalho, como alhures, a virtualização nos faz viver a passagem de uma economia das substâncias a uma economia dos acontecimentos. Quando irão as instituições e as mentalidades acolher os conceitos adequados? Como aplicar os sistemas de medida que acompanham essa mutação?

O salário remunerava o potencial, os novos contratos de trabalho recompensam o atual. Na economia do futuro, as sociedades bem-sucedidas reconhecerão e alimentarão em prioridade o virtual e seus portadores vivos. Com efeito, dois caminhos se abrem aos investimentos para aumentar a eficácia do trabalho: ou a reificação da força de trabalho pela automatização, ou a virtualização das competências por dispositivos que aumentem a inteligência coletiva. Num caso, pensa-se em termos de substituição: o homem, desqualificado, é substituído pela máquina. No caminho da virtualização, em troca, concebe-se o aumento de eficácia em termos de coevolução homem-máquina, de enriquecimento das atividades, de acoplamentos qualificadores entre as inteligências individuais e a memória dinâmica dos coletivos.

A VIRTUALIZAÇÃO DO MERCADO

Nos discursos políticos, o tema das "supervias da informação" é acompanhado com frequência pela evocação de "novos mercados", que supostamente dariam novo impulso ao crescimento e criariam empregos. Aqui, o erro consiste em dirigir o foco para os novos produtos, os novos serviços, os novos empregos, ou seja, para uma abordagem quantitativa (produtos *a mais* e empregos *suplementares*), sem perceber que as noções clássicas de mercado e de trabalho estão prestes a mudar. O ciberespaço abre de fato um mercado novo, só que se trata menos de uma onda de consumo por vir que da emergência de um espaço de transação qualitativamente diferente, no qual os papéis respectivos dos consumidores, dos produtores e dos intermediários se transformam profundamente.

O mercado *on-line* não conhece as distâncias geográficas. Todos os seus pontos estão em princípio igualmente "próximos" uns dos outros para o comprador potencial (telecompra). O consumo e a demanda nele são captados e perseguidos em seus menores detalhes. Por outro lado, os serviços de orientação e de visibilização das ofertas se multiplicam. Em suma, o cibermercado é mais *transparente* que o mercado clássico. Em princípio, essa transparência deveria beneficiar os consumidores, os pequenos produtores e acelerar a desterritorialização da economia.

A consulta a bancos de dados médicos e jurídicos *on-line* por não especialistas progride continuamente. Os indivíduos podem assim questionar um diagnóstico ou um conselho dado por um profissional "de vizinhança", e até mesmo ter acesso direto à informação pertinente junto aos melhores especialistas mundiais por intermédio de bancos de dados, de sistemas especialistas ou de sistemas hipermídia concebidos para ser consultados pelo grande público.

Como os produtores primários e os requerentes podem entrar diretamente em contato uns com os outros, toda uma classe de profissionais corre doravante o risco de ser vista como intermediários parasitas da informação (jornalistas, editores, professores, médicos, advogados, funcionários médios) ou da transação (comerciantes, banqueiros, agentes financeiros diversos) e tem seus papéis habituais ameaçados. Esse fenômeno é chamado a "desintermediação". As instituições e profissões fragilizadas pela desintermediação e o crescimento da transparência só poderão sobreviver e prosperar no ciberespaço efetuando sua migração de competências para a organização da inteligência coletiva e do auxílio à navegação.

A transparência crescente de um mercado cada vez mais diferenciado e personalizado permite aos produtores ajustar-se em tempo real às evoluções e à variedade da demanda. No limite, pode-se imaginar um acoplamento em fluxo tenso entre redes de "retromarketing" e fábricas flexíveis, a pilotagem da produção passando quase inteiramente às mãos dos consumidores (De Rosnay, 1995).

Todo ato registrável cria efetivamente ou virtualmente informação, ou seja, numa economia da informação, riqueza. Ora, o ciberespaço é por excelência o meio em que os atos podem ser registrados e transformados em dados exploráveis. Por isso o consumidor de informação, de transação ou de dispositivos de comunicação não cessa, ao mesmo tempo, de produzir uma informação virtualmente cheia de valor. O consumidor não apenas se torna coprodutor da informação que consume, mas é também produtor cooperativo dos "mundos virtuais" nos quais evolui, bem como agente de visibilidade do mercado para os que exploram os vestígios de seus atos no ciberespaço. Os produtos e serviços mais valorizados no novo mercado são interativos, o que significa, em termos econômicos, que a produção de valor agregado se desloca para o lado do "consumidor", ou melhor, que

A virtualização da economia

convém substituir a noção de consumo pela de *coprodução* de mercadorias ou de serviços interativos. Assim como a virtualização do texto nos faz assistir à indistinção crescente dos papéis do leitor e do autor, também a virtualização do mercado põe em cena a mistura dos gêneros entre o consumo e a produção.

Munido de um computador, de um modem e de programas de filtragem e de exploração dos dados, associado a outros usuários em redes de trocas cooperativas de serviços e de informações quase gratuitas, o usuário final está cada vez melhor equipado para refinar a informação. O "produtor" habitual (professor, editor, jornalista, produtor de programas de televisão) luta assim para não se ver relegado ao papel de simples fornecedor de matéria-prima. De onde a batalha, do lado dos "produtores de conteúdos", para reinstaurar tanto quanto possível, no novo espaço de interatividade, o papel que eles ocupavam no sistema unilateral das mídias ou na forma rígida das instituições hierárquicas. Mas, do lado da oferta, o novo ambiente econômico é muito mais favorável aos fornecedores de espaços, aos arquitetos de comunidades virtuais, aos vendedores de instrumentos de transação e de navegação que aos clássicos difusores de conteúdos.

Quanto à exploração econômica dos conteúdos em questão, as maneiras habituais de valorizar a propriedade sobre a informação (compra do suporte físico da informação ou pagamento de direitos autorais clássicos) são cada vez menos adaptadas ao caráter fluido e virtual das mensagens. Abandonar totalmente qualquer pretensão à propriedade sobre os programas e a informação, como certos ativistas da rede propõem, seria arriscar-se a voltar aquém da invenção do direito autoral e da patente, à época em que as ideias suadas dos trabalhadores intelectuais podiam ser bloqueadas por monopólios ou apropriadas sem contrapartida por potências econômicas ou políticas.

Mas na época da economia da informação e do conhecimento, em vez de abandonar os direitos de propriedade sobre todas as formas de bens de software, o que equivaleria a uma espoliação descarada dos produtores de base, dos novos prole-

O que é o virtual?

tários que são os trabalhadores intelectuais, a tendência parece antes se orientar no sentido de uma sofisticação do direito autoral. Esse aperfeiçoamento se desenvolve em duas direções: passagem de um direito territorial a um direito de fluxo e passagem do valor de troca ao valor de uso.

Hoje, se quisermos utilizar uma foto num serviço multimídia *on-line*, é preciso antes de mais nada pagar direitos ao proprietário da foto. A foto é como um microterritório. Está fora de questão utilizá-lo sem ter comprado ou alugado o terreno previamente. Essa coerção bloqueia consideravelmente a inovação econômica e cultural no ciberespaço. O pequeno empreendedor inovador simplesmente não possui os meios de pagar os direitos, e neste caso o proprietário não ganha nada; o autor vê sua ideia confinada a um círculo restrito e o surfista da Net fica privado da imagem. A solução consistiria, portanto, não em suprimir completamente o direito autoral, mas em substituí-lo por sistemas de contagem contínua do consumo de informações pelos usuários finais. A aquisição da informação sobre o uso poderia ser feita, por exemplo, no momento da decodificação da mensagem. Deste modo o proprietário não seria lesado, e o fornecedor de serviços poderia contar com a foto (por exemplo) sem ter que desembolsar de antemão uma soma da qual geralmente não dispõe. Pagar-se-ia assim a informação da mesma maneira que a água ou a eletricidade: por débito em conta. Mas com uma diferença significativa, pois seria como se cada gota de água comportasse seu próprio microcontador. Assim, a foto poderia ser copiada, empregada, difundida o quanto se quisesse, sem nenhuma limitação. Só que seria acionado automaticamente com a imagem, doravante líquida e ubíqua, o pequeno programa que registra a decodificação e efetua automaticamente um débito minúsculo na conta do consumidor e um crédito ínfimo na do autor ou do proprietário.

Essa medida dos fluxos de consumo pode ser aperfeiçoada pelo que poderíamos chamar provisoriamente de pagamento do "valor de uso". Por exemplo, na rede americana AMIX, a infor-

A virtualização da economia

mação vendida é paga em função de sua data de origem e da demanda de que é objeto. Mais do que uma revista de informações cujo preço é fixado pelo vendedor, a AMIX funciona como uma Bolsa na qual a demanda contribui em tempo real para a fixação do preço (Goldfinger, 1994). Numerosos serviços oferecidos no ciberespaço funcionam nesse espírito, registrando os usos, as navegações e as avaliações individuais para devolver aos usuários uma avaliação cooperativa ou um auxílio à orientação personalizada. Citemos, por exemplo, na World Wide Web, Fish-Wrap que diz respeito a documentos, Ringo++ dedicado aos títulos musicais, ou Idea Futures que organiza uma espécie de mercado das ideias científicas e tecnológicas.

Esses serviços, no entanto, não têm, em 1995, uma tradução monetária direta. Les arbres de connaissances® [As árvores de conhecimento] (Authier e Lévy, 1992), com seu programa Gingo®,[3] constituem igualmente um dispositivo de medida do valor de uso das competências (ou dos documentos, ou de qualquer tipo de informação), variável conforme os contextos e os momentos. Gingo incorpora um sistema completo de fixação do valor de uso por meio de uma moeda especial chamada de SOL (*standard open learning*).

Evocamos a passagem de uma propriedade territorial rígida à retribuição de flutuações desterritorializadas, e a transformação de uma economia do valor de troca em economia do valor de uso. Na verdade, essas formulações são mais uma metáfora do que uma caracterização conceitualmente rigorosa. Estritamente falando, eu diria que, quando compro um livro ou um disco, pago algo real, o suporte físico da informação. O livro que não leio me custa tão caro quanto o que leio. A quantidade de livros é limitada: um livro que está em minha biblioteca não está na sua. Estamos ainda no domínio dos recursos raros. Se compro direitos, não pago mais por algo real, mas algo potencial, a possibilidade

---

[3] Les arbres de connaissances® e Gingo® são marcas registradas da TriVium®.

de realizar ou de copiar a informação quantas vezes eu quiser. Ora, o novo mercado *on-line*, o cibermercado, tem necessidade de meios inéditos para tratar da dialética do virtual e do atual. Os sistemas de medida e de valorização do real e do potencial não são mais adaptados. Antes de sua leitura, a informação que corre no ciberespaço não é potencial, mas sim virtual, na medida em que pode assumir significações diferentes e imprevisíveis conforme se insira em determinado hiperdocumento ou em outro. Virtual porque aquilo que está em jogo não é a realização (cópia, impressão etc.), mas a atualização, a leitura, isto é, a significação que ela pode assumir em contexto, significação indissociável da participação deliberada de pelo menos um ser humano consciente. Virtual porque sua reprodução, sua cópia, não custam praticamente nada, salvo o custo geral de manutenção do ciberespaço. Virtual porque posso dar um documento sem perdê-lo e reempregar partes dele sem destruir o original. No ciberespaço, o documento torna-se tão impalpável e virtual quanto as informações e as próprias ideias.

A solução que parece delinear-se para o problema da economia do virtual e do atual é a seguinte: o bem virtual seria contabilizado, traçado e representado, mas gratuito, inteiramente livre para circular sem obstáculo e para se misturar a outros bens virtuais. O preço da atualização seria indexado conforme o contexto corrente, dependendo do ambiente e do momento. Esse valor poderia ser fixado cooperativamente por grupos de usuários em mercados livres ou Bolsas da informação e das ideias. A forma da nova economia dependerá em grande parte, portanto, dos sistemas de delineamento do virtual e de medida do atual que serão inventados nos próximos anos.

ECONOMIA DO VIRTUAL E INTELIGÊNCIA COLETIVA

Dada a nova economia do virtual e do acontecimento, as noções de produção e de consumo (muito ligadas à ordem da seleção exclusiva do par real-possível) nem sempre são as mais pertinentes para compreender os processos em andamento. Uma guerra não é nem material nem imaterial, um amor, uma invenção, uma aprendizagem tampouco. Aumentos, diminuições, reorganizações, nascimentos, desaparecimentos: alguma coisa acontece. Onde? Para quem? É como se fossem operações de pensamento, emoções, conflitos, entusiasmos ou esquecimentos no seio de uma máquina pensante híbrida, ao mesmo tempo cósmica, humana e técnica.

Talvez convenha considerar as operações da economia do virtual como acontecimentos no interior de uma espécie de megapsiquismo social, para o sujeito de uma inteligência coletiva em estado nascente. Desenvolveremos mais adiante esse tema da inteligência coletiva, mas já podemos esboçar uma análise de seus determinantes essenciais. O macropsiquismo pode se decompor segundo quatro dimensões complementares:

— uma conectividade ou um "espaço" em transformação constante: associações, vínculos e caminhos;

— uma semiótica, isto é, um sistema aberto de representações, de imagens, de signos de todas as formas e de todas as matérias que circulam no espaço das conexões;

— uma axiologia ou "valores" que determinam tropismos positivos ou negativos, qualidades afetivas associadas às representações ou às zonas do espaço psíquico;

— uma energética, enfim, que especifica a força dos afetos ligados às imagens.

O psiquismo social pode então ser concebido como um hipertexto fractal, um hipercórtex que se reproduz de maneira semelhante em diferentes escalas de grandeza, passando por psiquismos transindividuais de pequenos grupos, almas individuais, espíritos infrapessoais (zonas do cérebro, "complexos" inconscientes). Cada nó ou zona do hipercórtex contém por sua vez um psiquismo vivo, uma espécie de hipertexto dinâmico atravessado de tensões e de energias, colorido de qualidades afetivas, animado de tropismos, agitado de conflitos.

No seio desse megapsiquismo social, as operações consistem em:

— agir sobre a conectividade: montar redes, abrir portas, difundir ou, ao contrário, reter a informação, manter barreiras, filtrar a informação, ou ainda garantir a segurança do conjunto (comunicações, transportes, comércio, formações, serviços sociais, polícia, exércitos, governos etc.);

— criar ou modificar representações, imagens, fazer evoluir de uma maneira ou de outra as linguagens em uso e os signos em circulação (artes, ciências, técnicas, indústrias, meios de comunicação etc.);

— criar, transformar ou manter os tropismos, os valores, os afetos sociais: o bem e o mal, o útil e o prejudicial, o agradável e o penoso, o belo e o feio etc. (educação, religião, filosofia, moral, artes...);

— modificar, deslocar, aumentar, diminuir a força dos afetos ligados a esta ou àquela representação em circulação (meio de comunicação, publicidade, comércio, retórica...).

Todo acontecimento participa em maior ou menor grau, de modo molecular, do conjunto desses aspectos da vida do megapsiquismo coletivo, mesmo aqueles não registrados em nenhuma transação mercantil. Cada um, a todo instante, contribui para o processo da inteligência coletiva. Uma vez mais, para uma economia do virtual, que aceita explicitamente esse quadro de pensamento, mesmo o consumo é produtor. Vimos que a atualização (o "consumo") de uma informação era simultaneamente uma pequena criação (uma interpretação). Contudo, há mais: o consumo destrutivo clássico, tão logo é captado e devolvido ao produtor, ao vendedor, a uma instância qualquer de regulação ou de medida, torna-se ele também, *ipso facto*, criação de informação, contribui para um aumento da inteligência social global. Essa ideia pode ser generalizada assim: todo ato é virtualmente produtor de riqueza social via sua participação na inteligência coletiva. Qualquer ato humano é um momento do processo de pensamento e de emoção de um megapsiquismo fractal e poderia ser valorizado

A virtualização da economia

e até remunerado enquanto tal. Se todos os atos pudessem ser captados, transmitidos, integrados a circuitos de regulação e devolvidos a seus produtores, e participassem deste modo de uma melhor informação global da sociedade sobre si mesma, a inteligência coletiva conheceria uma enorme mutação qualitativa da maior importância.

Tal perspectiva praticamente só se tornou possível depois da existência dos microprocessadores, dos nanocaptadores, da informática distribuída em rede, funcionando em tempo real e provida de interfaces amigáveis (imagem, voz etc.). O mercado atual pode ser considerado como o embrião ainda imperfeito, grosseiro, demasiado unidimensional, de um sistema geral de avaliação e de remuneração dos atos de cada um por todos. Para que essa perspectiva não se transforme em pesadelo, convém imediatamente precisar que, nessa concepção, as avaliações devem permanecer anônimas, e que cada ato é não apenas avaliado mas avaliante. O sistema de integração, de medida e de regulação aqui considerado, uma espécie de "metamercado" integrado ao ciberespaço é, antes de mais nada, o instrumento de uma avaliação cooperativa, distribuída e multicriterial da sociedade por ela mesma.

5.
AS TRÊS VIRTUALIZAÇÕES
QUE FIZERAM O HUMANO:
A LINGUAGEM, A TÉCNICA E O CONTRATO

A virtualização dos corpos, das mensagens e da economia ilustra um movimento contemporâneo muito mais geral em direção ao virtual. Proponho pensar esse movimento como a busca de uma hominização continuada. Com efeito, nossa espécie, como vou tentar mostrar neste capítulo, constituiu-se na e pela virtualização. Sendo assim, a mutação contemporânea pode ser entendida como uma retomada da autocriação da humanidade.

O NASCIMENTO DAS LINGUAGENS, OU A VIRTUALIZAÇÃO DO PRESENTE

Três processos de virtualização fizeram emergir a espécie humana: o desenvolvimento das linguagens, a multiplicação das técnicas e a complexificação das instituições.

A linguagem, em primeiro lugar, virtualiza um "tempo real" que mantém aquilo que está vivo prisioneiro do aqui e agora. Com isso, ela inaugura o passado, o futuro e, no geral, o Tempo como um reino em si, uma extensão provida de sua própria consistência. A partir da invenção da linguagem, nós, humanos, passamos a habitar um espaço virtual, o fluxo temporal tomado como um todo, que o imediato presente atualiza apenas parcialmente, fugazmente. Nós *existimos*.

O tempo humano não tem o modo de ser de um parâmetro ou de uma coisa (ele não é, justamente, "real"), mas o de uma situação aberta. Nesse tempo assim concebido e vivido, a ação e o pensamento não consistem apenas em selecionar entre possíveis já determinados, mas em reelaborar constantemente uma configuração significante de objetivos e de coerções, em improvisar soluções, em reintrepretar deste modo uma atualidade passada que continua a nos comprometer. Por isso vivemos o tempo como problema. Em sua conexão viva, o *passado* herdado, rememorado, reinterpretado, o *presente* ativo e o *futuro* esperado, temido ou simplesmente imaginado, são de ordem psíquica, existenciais. O tempo como extensão completa não existe a não ser virtualmente.

Claro que formas elaboradas de memória e de aprendizagem já são praticadas entre animais superiores, mesmo entre os que não dispõem de linguagens complexas. No entanto, pode-se construir a hipótese de que, na vida animal, a memória se reduz principalmente a uma modificação atual do comportamento ligado a acontecimentos passados. Por outro lado, graças à linguagem, temos acesso "direto" ao passado sob a forma de uma imensa coleção de lembranças datadas e de narrativas interiores.

Os signos não evocam apenas "coisas ausentes" mas cenas, intrigas, séries completas de acontecimentos ligados uns aos outros. Sem as línguas, não poderíamos nem colocar questões, nem contar histórias, duas belas maneiras de nos desligarmos do presente intensificando ao mesmo tempo nossa existência. Os seres humanos podem se desligar parcialmente da experiência corrente e recordar, evocar, imaginar, jogar, simular. Assim eles decolam para outros lugares, outros momentos e outros mundos. Não devemos esses poderes apenas às línguas, como o francês, o inglês ou o wolof, mas igualmente às linguagens plásticas, visuais, musicais, matemáticas etc. Quanto mais as linguagens se enriquecem e se estendem, maiores são as possibilidades de simular, imaginar, *fazer imaginar* um alhures ou uma alteridade.

Neste ponto, reencontramos mais uma vez um caráter importante da virtualização: ao liberar o que era apenas aqui e agora, ela abre novos espaços, outras velocidades. Ligada à emergência da linguagem, surge uma nova rapidez de aprendizagem, uma celeridade de pensamento inédita. A evolução cultural anda mais depressa que a evolução biológica. O próprio tempo bifurca-se em direção a temporalidades internas à linguagem: tempo próprio da narrativa, ritmo endógeno da música ou da dança.

A passagem do privado ao público e a transformação recíproca do interior em exterior são atributos da virtualização que também podem ser muito bem analisadas a partir do operador semiótico. Uma emoção posta em palavras ou em desenhos pode ser mais facilmente compartilhada. O que era interno e privado torna-se externo e público. Mas isto é igualmente verdade no outro sentido: quando escutamos música, olhamos um quadro ou lemos um poema, internalizamos ou privatizamos um item público.

A partir do momento em que falamos, as entidades eminentemente subjetivas que são as emoções complexas, os conhecimentos e os conceitos são externalizadas, objetivadas, intercambiadas, podem viajar de um lugar a outro, de um tempo a outro, de um espírito a outro.

As linguagens humanas virtualizam o tempo real, as coisas materiais, os acontecimentos atuais e as situações em curso. Da desintegração do presente absoluto surgem, como as duas faces da mesma criação, o tempo e o fora-do-tempo, o anverso e o reverso da existência. Acrescentando ao mundo uma dimensão nova, o eterno, o divino, o ideal têm uma história. Eles crescem com a complexidade das linguagens. Questões, problemas, hipóteses abrem buracos no aqui e agora, desembocando, do outro lado do espelho, entre o tempo e a eternidade, na existência virtual.

A TÉCNICA, OU A VIRTUALIZAÇÃO DA AÇÃO

A virtualização, vamos repetir mais uma vez, não é necessariamente acompanhada por um desaparecimento. Ao contrário, acarreta com frequência um processo de materialização. Isto pode ser facilmente ilustrado no caso da virtualização técnica, que nos cabe agora analisar.

De onde vêm as ferramentas? Primeiro, uma função física ou mental dos seres vivos (bater, pegar, caminhar, voar, calcular) é identificada. Depois, essas funções são separadas de um agregado particular de ossos, carne e neurônios. Assim elas são separadas, ao mesmo tempo, de uma experiência interior, subjetiva. A função abstrata é materializada sob outras formas que não o gesto habitual. O corpo nu é substituído por dispositivos híbridos, outros suportes: o martelo para a batida; a armadilha, o anzol ou a rede para a captura; a roda para o andar; o balão inflado de ar, as asas de avião ou as pás de helicóptero para o voo; o ábaco ou a régua de cálculo para as operações matemáticas... Graças a essa materialização, o privado torna-se público, partilhado. O que era indissociável de uma imediatidade subjetiva, de uma interioridade orgânica, agora passou por inteiro ou em parte ao exterior, para um objeto. Mas, por uma espécie de espiral dialética, a exterioridade técnica muitas vezes só ganha eficácia se for internalizada de novo. A fim de utilizar uma ferramenta, deve-se aprender gestos, adquirir reflexos, recompor uma identidade mental e física. O ferreiro, o esquiador, o motorista de automóvel, a ceifeira, a tricotadora ou a ciclista modificaram seus músculos e seus sistemas nervosos para integrar os instrumentos em uma espécie de corpo ampliado, modificado, virtualizado. E, como a exterioridade técnica é pública ou partilhável, ela contribui em troca para forjar uma subjetividade coletiva.

Entretanto, a dinâmica técnica se alimenta de seus próprios produtos, opera combinações transversais, rizomáticas, e conduz finalmente a máquinas, a arranjos complexos muito afastados de funções corporais simples. Um barco a vela, um moinho movido à água, um relógio ou uma central nuclear virtualizam funções motoras, cognitivas ou termostáticas, mas — voltaremos a esse ponto — não podem ser compreendidos como prolongamentos de corpos individuais. Eles só são plenamente reintegrados ou interiorizados de volta na escala de megamáquinas sociais híbridas ou de hipercorpos coletivos.

A concepção de uma nova ferramenta virtualiza uma combinação de órgãos e de gestos que só aparece, então, como uma solução especial, local, momentânea. Ao conceber uma ferramenta, mais do que nos concentrarmos sobre determinada ação em curso, içamo-nos à escala bem mais elevada de um conjunto indeterminado de situações. O surgimento da ferramenta não responde a um estímulo particular mas materializa parcialmente uma função genérica, cria um ponto de apoio para a resolução de uma classe de problemas. A ferramenta que seguramos na mão é uma coisa real, mas essa coisa dá acesso a um conjunto indefinido de usos possíveis.

De acordo com o que foi proposto por Marshall McLuhan e André Leroi-Gourhan, diz-se às vezes que as ferramentas são continuações ou extensões do corpo. Essa teoria não me parece fazer justiça à especificidade do fenômeno técnico. Você pode dar pedras talhadas a seus primos. Pode produzir milhares de bifaces.[4] Mas lhe é impossível multiplicar suas unhas ou emprestá-las a seu vizinho. Mais que uma extensão do corpo, uma ferramenta é uma virtualização da ação. O martelo pode dar a ilusão de um prolongamento do braço; a roda, em troca, evidentemente não é um prolongamento da perna, mas sim a virtualização do andar.

Há poucas virtualizações da ação e muitas atualizações das ferramentas. O martelo pode ter sido inventado três ou quatro vezes ao longo da história. Digamos três ou quatro virtualizações. Mas quantas marteladas foram dadas? Bilhões e bilhões de atualizações. A ferramenta, a permanência de sua forma são uma memória do momento original de virtualização do corpo em ato. A ferramenta cristaliza o virtual.

A técnica não virtualiza apenas os corpos e as ações, mas também as coisas. Antes que os seres humanos houvessem aprendido a entrechocar pedras de sílex acima de uma pequena acendalha, eles só conheciam o fogo presente ou ausente. Depois da invenção das técnicas de acendimento, o fogo pôde também ser

---

[4] Sílex cortado dos dois lados. (N. do T.)

As três virtualizações que fizeram o humano

virtual. Ele é virtual onde quer que haja fósforos. A presença ou a ausência do fogo era um fato com o qual se era obrigado a contar, agora é uma eventualidade aberta. Uma coerção foi transformada em variável.

Em suma, o mesmo objeto técnico pode ser considerado segundo quatro modos de ser. Enquanto problematização, desterritorialização, passagem ao público, metamorfose e recomposição de uma função corporal, o objeto técnico é um operador de virtualização. Tal martelo *virtualiza* quando o consideramos como memória da invenção do martelo, vetor de um conceito, agente de hibridação do corpo. Então, o martelo existe e faz existir.

A cada golpe de marreta ou de camartelo, o martelo virtualizante, testemunha hoje do que foi um dia o surgimento de uma nova maneira de bater, atualiza-se. Ao atualizar, o martelo conduz a ação. Tal configuração, tal hibridação desse corpo, *acontece* efetivamente por meio dele, aqui e agora, e cada vez diferentemente. Cada martelada é uma *ocorrência*, uma tentativa de resolução de problema em escala molecular, aliás malograda de vez em quando: pode-se bater mal, com demasiada força ou fora do alvo.

O martelo real é essa marreta, esse maço, esse martelo de escultor: a coisa com seu preço, seu peso, seu cabo de madeira, sua cabeça de metal, sua forma precisa. O martelo real deve ser forjado, montado, realizado pelo fabricante, armazenado, protegido. O martelo resiste ou *subsiste*.

O martelo, enfim, encerra um potencial, uma potência, um poder. Considerado como potencial, o martelo se revela perecível, é uma reserva finita de golpes, de usos particulares. Não mais vetor de metamorfose do corpo, abertura de uma nova relação física com o mundo (o martelo virtualizante), não mais condutor de um ato singular aqui e agora (o martelo batedor atualizante), não mais coisa material (o martelo real), mas reservatório de possíveis. Assim, o potencial de um martelo novo é maior que o de um velho, e o martelinho do sapateiro não tem o mesmo potencial qualitativo que o do vidraceiro. O martelo *insiste*.

O contrato, ou a virtualização da violência

A humanidade emerge de três processos de virtualização. O primeiro está ligado aos signos: a virtualização do tempo real. O segundo é comandado pelas técnicas: a virtualização das ações, do corpo e do ambiente físico. O terceiro processo cresce com a complexidade das relações sociais: para designá-lo da maneira mais sintética possível, diremos que se trata da virtualização da violência.

Os rituais, as religiões, as morais, as leis, as normas econômicas ou políticas são dispositivos para virtualizar os relacionamentos fundados sobre as relações de forças, as pulsões, os instintos ou os desejos imediatos. Uma convenção ou um contrato, para tomar um exemplo privilegiado, tornam a definição de um relacionamento independente de uma situação particular; independente, em princípio, das variações emocionais daqueles que o contrato envolve; *independente da flutuação das relações de força.*

Uma lei envolve uma quantidade indefinida de detalhes virtuais dos quais somente um pequeno número é explicitamente previsto em seu texto. Numa dada sociedade, um ritual (digamos um casamento ou uma cerimônia de iniciação) aplica-se a uma variedade indefinida de pessoas. A mudança de estatuto ("a partir de agora, sois casados", "agora, sois um adulto") é automática e idêntica para todos. Não somos obrigados a reinventar e negociar algo de novo em cada situação particular. Os exemplos da iniciação, do casamento ou da venda mostram que a virtualização dos relacionamentos e dos impulsos imediatos, ao mesmo tempo que estabiliza os comportamentos e as identidades, também fixa procedimentos precisos para *transformar* os relacionamentos e os estatutos pessoais.

Através da linguagem, a emoção virtualizada pela narrativa voa de boca em boca. Graças à técnica, a ação virtualizada pela ferramenta passa de mão em mão. Do mesmo modo, na esfera das relações sociais, pode-se organizar o movimento ou a desterritorialização de relacionamentos virtualizados. Um título de propriedade, ações de uma companhia ou um contrato de seguro se vendem e se transmitem. Um reconhecimento de dívida, uma letra de câmbio ou uma obrigação, que na origem diziam respeito a apenas duas partes, podem circular entre um número indefinido de pessoas. Pode-se do mesmo modo eleger um porta-voz, ensinar uma oração ou comprar um fetiche.

Relacionamentos virtuais coagulados, como é o caso dos contratos, são entidades públicas e compartilhadas no seio de uma sociedade. Novos procedimentos, novas regras de comportamento se articulam sobre as precedentes. Um processo contínuo de virtualização de relacionamentos forma aos poucos a complexidade das culturas humanas: religião, ética, direito, política, economia. A concórdia talvez não seja um estado natural, uma vez que, para os humanos, a construção social passa pela virtualização.

A ARTE, OU A VIRTUALIZAÇÃO DA VIRTUALIZAÇÃO

Por que a arte interessa a tanta gente embora seja tão difícil de descrever? Porque ela representa, por mais de uma razão, um ápice da humanidade. Nenhuma espécie animal jamais praticou as belas-artes. E não sem motivo: a arte está na confluência das três grandes correntes de virtualização e de hominização que são as linguagens, as técnicas e as éticas (ou religiões). A arte é difícil de definir por estar quase sempre na fronteira da simples linguagem expressiva, da técnica ordinária (o artesanato) ou da função social muito claramente designável. Ela fascina porque põe em prática a mais virtualizante das atividades.

Com efeito, a arte dá uma forma externa, uma manifestação pública a emoções, a sensações experimentadas no mais íntimo da subjetividade. Embora sejam impalpáveis e fugazes, sentimos não obstante que essas emoções são o sal da vida. Ao torná-las independentes de um momento e de um lugar particular, ou pelo menos (para as artes vivas) ao dar-lhes uma dimensão coletiva, a arte nos faz compartilhar uma maneira de sentir, uma qualidade de experiência subjetiva.

A virtualização, em geral, é uma guerra contra a fragilidade, a dor, o desgaste. Em busca da segurança e do controle, perseguimos o virtual porque nos leva para regiões ontológicas que os perigos ordinários não mais atingem. A arte questiona essa tendência, e portanto virtualiza a virtualização, porque busca num mesmo movimento uma saída do aqui e agora e sua exaltação sensual. Retoma a própria tentativa de evasão em suas voltas e reviravoltas. Em seus jogos, contém e libera a energia afetiva que nos faz superar o caos. Numa última espiral, denunciando assim o motor da virtualização, problematiza o esforço incansável, às vezes fecundo e sempre fadado ao fracasso, que empreendemos para escapar à morte.

6.
AS OPERAÇÕES DA VIRTUALIZAÇÃO OU O TRÍVIO ANTROPOLÓGICO

Há um núcleo invariante das operações de virtualização, uma receita do virtual? Arriscaremos uma resposta positiva a essa questão, mas apenas parcial e bastante geral. Ela não dispensa, em cada caso particular, nem uma descoberta audaciosa, nem uma construção coletiva longa e trabalhosa. A teoria que vamos apresentar, portanto, se permite reconhecer um caso de virtualização *a posteriori*, analisá-lo e apresentá-lo claramente, infelizmente não é um guia de invenção infalível.

O trívio dos signos

Comecemos examinando o caso da linguagem. Para isto vamos seguir o curso do trívio. A tríplice via, ou trívio, constituía a base do ensino liberal na Antiguidade e na Idade Média. Compreendia a gramática (saber ler e escrever corretamente), a dialética (saber raciocinar) e a retórica (saber compor discursos e convencer). Estabelecemos a hipótese de que cada uma das três "vias" envolve operações quase sempre empregadas nos processos de virtualização.

Em primeiro lugar a gramática. A partir do *continuum* dos sons, uma língua isola ou separa fonemas, espécies de elementos primários não significantes. As unidades significantes (palavras, frases ou "falas") apresentam-se à análise como sequências de elementos desprovidos de sentido neles mesmos (os fonemas). Cada combinação de elementos terá um sentido diferente e os elementos adquirem um valor distinto em cada combinação. A gramática é a arte de compor pequenas unidades significantes com elementos não significantes e grandes unidades significantes (frases, discursos) com pequenas. Notemos que as operações "gramaticais" de separação e de arranjo de elementos não dizem respeito apenas à língua mas também à escrita, inclusive às escritas não alfabéticas.

Depois da gramática, a dialética. Inicialmente arte do diálogo, a dialética passou a designar a ciência da argumentação e, na universidade medieval, a lógica e a semântica. A gramática dizia respeito à articulação interna da língua, à manipulação das ferramentas linguísticas e escriturais. A dialética, em troca, estabelece uma relação de reciprocidade entre interlocutores, pois não há esforço argumentativo que não subentenda uma espécie de paridade intelectual. Com isso, a dialética conecta um sistema de signos e um mundo objetivo, colocado pelos interlocutores em posição de mediador. Serão as proposições verdadeiras ou falsas, e por quê? De que maneira elas correspondem a um estado do mundo? A dialética implica ao mesmo tempo o relacionamento com o outro (a argumentação) e a relação com o "exterior" (a semântica, a referência). Não há língua sem essas operações de estabelecimento de correspondência, ou de substituição convencional entre uma ordem dos signos e uma ordem das coisas.

Enfim, a retórica designa a arte de *agir* sobre os outros e o mundo com o auxílio dos signos. No estágio retórico ou pragmático, não se trata mais apenas de representar o estado das coisas, mas igualmente de transformá-lo, e mesmo de criar inteiramente uma realidade saída da linguagem; ou seja, em termos rigorosos, um mundo virtual: o da arte, da ficção, da cultura, do universo mental humano. Esse mundo gerado pela linguagem servirá eventualmente de referência a operações dialéticas ou será reempregado por outros projetos de criação. A linguagem só alça voo no estágio retórico. Então ela se alimenta de sua própria atividade, impõe suas finalidades e reinventa o mundo.

O trívio das coisas

Minha hipótese é que as operações gramaticais, dialéticas e retóricas, chaves da capacidade virtualizante da linguagem, caracterizam igualmente a técnica e a complexidade dos relacionamentos. Longe de mim a ideia de "reduzir tudo à linguagem"! Ao contrário, trata-se de pôr em evidência, por trás da eficácia das línguas, uma estrutura abstrata, neutra, que caracteriza igualmente outros tipos de atividades humanas capazes de nos fazer escapar ao aqui e agora.

Para a técnica, a gramática consiste no recorte de gestos elementares que poderão ser empregados em diversas *sequências*, ou ações em situação. Que se pense na maneira como aprendemos a ginástica, a dança, o tênis, a esgrima, as artes marciais e numerosas habilidades profissionais. Poder-se-ia afirmar, com base nos trabalhos de Michel Foucault, que esse recorte em gestos elementares é um fenômeno recente, aparecido na Europa na era clássica, e que tem a ver com uma abordagem disciplinar do corpo. Certamente. Mas, por um lado, não é sem importância que *possamos* recortar assim nossos atos físicos e que isto nos confira em geral um acréscimo de eficácia, pelo menos na aprendizagem de massa. Por outro lado, o fato de tal recorte se tornar explícito (para si) em determinada cultura não significa que não esteja atuando implicitamente (em si) nas outras. O caso das línguas nos mostra isso de maneira evidente. Não há gramática como disciplina constituída antes da escrita, e a quase totalidade dos seres humanos aprende a falar sem ter a menor noção disso. O que não impede as palavras de serem realmente combinações de fenômenos, nem impede que cada língua seja (entre outras coisas) uma espécie de sistema combinatório que obedece a regras especiais de constituição de sequências sonoras.

A gramática técnica não diz respeito apenas aos gestos, mas também a módulos materiais elementares que podem ser combinados para compor gamas de artefatos ou de ferramentas. A título de exemplo, o mesmo cabo pode servir à montagem de uma pá ou de uma picareta, e tijolos idênticos podem ser usados na construção de casas muito diversas.

Se não é muito difícil admitir uma espécie de gramática técnica, já uma dialética das coisas parece problemática. A linguagem refere-se ao mundo real, permite produzir proposições verdadeiras ou falsas, suscita emoções ou ideias. Em suma, ela significa. Em troca, a técnica parece pertencer a uma outra ordem que não a da significação: a da ação eficaz, da operacionalidade. A linguagem provoca estados mentais, a ferramenta desloca matéria. Como poderia haver uma dialética dos instrumentos? E, não obstante, também a técnica faz sentido.

No centro da significação acha-se a operação de substituição. Se a palavra "árvore" significa, é sobretudo porque, em certas circunstâncias e para usos determinados, ela *faz as vezes* da árvore real. Ora, e quase do mesmo modo, um dispositivo técnico *vale por* um outro dispositivo, não técnico ou de uma tecnicidade menos complexa. Por exemplo, o sistema moderno de água corrente em todos os andares substitui o balde que vai à fonte. A fonte instalada na praça, por sua vez, substitui a caminhada até a nascente ou o rio. As torneiras da cozinha e do banheiro "denotam" a "significação" seguinte: você não precisa mais trazer a água do poço ou alugar os serviços de um carregador. Outro exemplo: a bicicleta só é um objeto técnico porque substitui uma caminhada sem equipamento mecânico ou um cavalo demasiado oneroso. Via de regra, o *sentido* de um artefato ou de uma ferramenta é o dispositivo que seríamos obrigados a empregar para obter o mesmo resultado se ele não tivesse sido inventado. O objeto técnico não apenas cumpre, como o signo, uma função de *substituição*, como também opera, além disso, o mesmo tipo de *abstração*. A palavra "árvore" não remete apenas a esta figueira em meu jardim, a esta bétula na floresta, mas a qualquer árvore particular e, mais ainda, ao conceito geral de árvore. Do mesmo modo, uma bicicleta não substitui especialmente estas pernas em via de andar ou este cavalo na estrebaria. Vale por uma função geral de transporte, uma função abstrata, desligada *a priori* deste ou daquele "referente" particular, remetendo portanto a uma quantidade indeterminada de situações ou de dispositivos concretos de deslocamento.

Finalmente, a técnica possui — ela também — sua retórica, no sentido em que seu movimento não se limita em acumular artefatos ou ferramentas "práticas" e "úteis", que fazem ganhar tempo e energia. A invenção técnica abre possibilidades radicalmente novas cujo desenvolvimento acaba por fazer crescer um mundo autônomo, criação proliferante que não pode mais ser explicada por nenhum critério estático de utilidade. De fato, se não fôssemos além da dialética técnica, poderíamos ainda confinar as ferramentas no reino dos meios. Os fins de beber ou de ir à aldeia vizinha permanecendo inalterados, as técnicas de adução de água ou do velocípede servem para atingi-los mais depressa e com menor custo. Mas a produção de artefatos atinge o estágio retórico quando ela participa da criação de novos fins. Por exemplo, as calculadoras eletrônicas aperfeiçoadas nos anos quarenta permitiram efetuar operações aritméticas mil vezes mais rapidamente que as calculadoras eletromecânicas e analógicas anteriores. Mas seus inventores não se contentaram em fazer as novas máquinas efetuar mais depressa as mesmas operações que as antigas. Exploraram essa velocidade acrescida para modificar radicalmente a concepção das máquinas de calcular. Em vez de construir instrumentos especializados na computação deste ou daquele gênero de operação, conceberam calculadoras universais, programáveis, capazes de executar qualquer tipo de tratamento de informação. Isto só foi possível graças à velocidade adquirida pela eletrônica, que permitiu otimizar a disposição material dos circuitos em função das operações requeridas. Foi assim que nasceu a informática e que o universo do software se pôs a proliferar.

Uma visão estreita da informática, limitada à dialética, a reduz a um conjunto de ferramentas para calcular, escrever, conceber e comunicar mais depressa e melhor. A plena abordagem retórica descobre nela um espaço de produção e de circulação dos signos qualitativamente diferente dos anteriores, no qual as regras de eficácia e os critérios de avaliação da utilidade mudaram. Nossa espécie lançou-se sem retorno nesse novo espaço informacional. A questão portanto não é avaliar sua "utilidade" mas determinar em que direção prosseguir um processo de criação cultural irreversível. Poder-se-ia dizer o mesmo do conjunto dos meios de transporte, que muito mais metamorfosearam a geografia e dissolveram as antigas distinções entre cidade e campo do que aceleraram os veículos a cavalo e os barcos a vela. O automóvel é certamente um meio de transporte, porém mais ainda é o principal operador urbanístico contemporâneo.

À medida que se desenvolve o tecnocosmo, seus elementos se fundem no cenário, se naturalizam, entram na dialética dos fins recebidos e dos meios que se aperfeiçoam. Mas em sua fronteira avançada, na interface móvel da criação e do desconhecido, a atividade técnica abre mundos virtuais nos quais se elaboram novos fins.

O TRÍVIO DOS SERES

Enfim, a complexidade dos relacionamentos tem a ver igualmente com um trívio antropológico generalizado. Na etapa gramatical, foi preciso identificar e separar elementos capazes de entrar em composição nos arranjos contratuais, legais, sociais, políticos, morais ou religiosos. Esses elementos recombináveis, notemo-lo, são tão convencionais e não-significantes quanto os fonemas: sentimentos, paixões, átomos de relacionamentos, de gestos, partes da alma, sujeitos, pessoas, eis aí outros tantos tijolos de base para os comportamentos, os relacionamentos e as identidades sociais.

É preciso que haja elementos invariáveis como a salvação, a cólera, a ofensa, a promessa ou a homenagem, reconhecíveis numa variedade infinita de circunstâncias, para que a vida coletiva possa se estabilizar e se complexificar. De um ponto de vista estritamente físico, todos os sons são diferentes. É somente no processo virtualizante da língua que dois sons distintos exemplificam o mesmo fonema. O mesmo vale para classes de sentimentos ou de atos sociais, todos diferentes num plano psicológico estrito, mas que não obstante servem de instância para o mesmo átomo de relacionamento no jogo de construção da complexidade social. A partir dos elementos de base vão ser elaboradas uma quantidade infinita de sequências de interações, uma espécie de texto ou de hipertexto relacional.

Já abordamos mais acima a dimensão dialética da ética, tomada aqui no sentido geral de complexidade relacional e comportamental. Um contrato *substitui* uma relação de força ou uma discussão permanente; um ritual economiza a negociação de um desejo ou de uma identidade. Como no caso da linguagem e da técnica, uma cadeia de atos pode remeter a outras construções éticas, e isto recursivamente até formar um amontoado de significações simultâneas, como uma dimensão harmônica do vínculo social. Uma operação simbólica substitui um sacrifício animal; um sacrifício animal vale por um sacrifício humano; um sacrifício humano economiza uma guerra civil.

No estágio retórico, deve-se finalmente constatar o crescimento de um universo relacional autônomo nos planos legal, institucional, político, comercial, moral e religioso. De novo, a questão da utilidade, da função ou da referência dá lugar ao poder de fazer sentido, ou melhor, de fazer mudar o sentido, de criar universos de significação radicalmente novos: invenções do monoteísmo, do direito romano, da democracia, da economia capitalista...

A GRAMÁTICA, FUNDAMENTO DA VIRTUALIZAÇÃO

Por que os três estágios do trívio formam um caminho de virtualização? Retomemos as três etapas uma por uma.

As operações de gramatização recortam um *continuum* fortemente ligado a presenças aqui e agora, a corpos, a relações ou situações particulares, para obter afinal elementos convencionais ou padrão. Esses átomos são destacáveis, transferíveis, independentes de contextos vivos. Já formam o grau mínimo do virtual na medida em que cada um pode ser atualizado numa variedade indefinida de ocorrências, todas qualitativamente diferentes, mas no entanto reconhecíveis como exemplares do mesmo elemento *virtual*. Portanto não se trata de átomos reais ou substanciais. Esse ponto deve ser sublinhado, pois ele faz toda a diferença entre a análise à moda cartesiana, que separa partes reais, e a gramatização que cria partículas virtuais. Sua propriedade de não-significância autoriza o reemprego de um conjunto limitado de tijolos de base, livres e destacáveis, para construir uma quantidade infinita de sequências, de cadeias ou de compostos significantes. A significação de um composto não pode ser deduzida *a priori* da lista de seus elementos: trata-se de uma atualização criadora em contexto.

O destino da escrita ilustra particularmente bem a gramatização; o que a etimologia confirma: *gramma*, em grego antigo, é a letra. A fala é antes de mais nada indissociável de um sopro, de uma presença viva aqui e agora. A escrita (a gramatização da fala) separa a mensagem de um corpo vivo e de uma situação particular. A impressão leva adiante esse processo ao padronizar a grafia, separando o texto lido do traço direto de uma performance muscular. O aspecto virtualizante da impressão é o *caractere móvel*. Reencontraremos em quase todos os processos de virtualização o equivalente de um "caractere móvel", liberado, descolado das situações concretas, reprodutível e circulante.

A informatização acelera o movimento iniciado pela escrita ao reduzir todas as mensagens a combinações de dois símbolos elementares, zero e um. Esses caracteres são os menos significantes possíveis, idênticos em todos os suportes de memória. Seja qual for a natureza da mensagem, eles compõem sequências traduzíveis em e por qualquer computador. A informática é a mais virtualizante das técnicas por ser também a mais gramaticalizante. Sabe-se que a língua se caracteriza por uma dupla articulação, a que junta os fonemas e as unidades significantes (as palavras) e a que junta as palavras entre si para produzir frases. No que concerne à informática, poder-se-ia falar de uma articulação de n termos: códigos eletrônicos de base, linguagens-máquinas, linguagens de programação, linguagens de alto nível, interfaces e operadores de traduções múltiplas para finalmente chegar à escrita clássica, à linguagem, a todas as formas visuais e sonoras, a novos sistemas de signos interativos.

A relação entre os fenômenos contemporâneos de desterritorialização e de mundialização, de um lado, e a padronização (a virtualização) de elementos de base recombináveis, de outro, é evidente. A padronização permite a compatibilidade entre sistemas de informação, sistemas econômicos, sistemas de transporte distintos. Ela autoriza deste modo a constituição de espaços econômicos, informacionais ou físicos abertos, de circulação livre, cujas figuras salientes (carros, aviões, computadores) cobrem na verdade uma superfície coordenada, flutuante e contínua de componentes articuláveis. Assim como os computadores acabaram por se fundir no crescimento do ciberespaço, também os aviões não são mais que os módulos aparentes de um sistema internacional integrado de transporte aéreo cujo núcleo é a coordenação entre os aeroportos.

Após os signos e a técnica, vejamos agora alguns exemplos no domínio das formas sociais. De que modo a gramatização faz surgir novos tipos de contratos e de comportamentos? A obra de Steven Shapin e Simon Schaffer, *Leviathan and the Air Pump* [Leviatã e a bomba de ar], reconstitui o nascimento da comunidade científica moderna no século XVIII através da polêmica entre Hobbes e Boyle. Boyle quer definir as regras que devem reger o coletivo dos "experimentalistas", e em particular a estrita separação entre, de um lado, *fatos* que reúnam o consenso, reprodutíveis em laboratório e constatáveis por testemunhas dignas de fé e, de outro, *hipóteses*, teorias ou explicações causais, sobre as quais a concordância da comunidade científica não é necessária. Hobbes, em contrapartida, se recusa a admitir essa separação dos fatos e das explicações causais. Se o núcleo da atividade "filosófica" não for a explicação pelas causas, ele não vê a utilidade disso. Além do mais, sublinha que na realidade é impossível separar a constatação dos fatos e a formulação das hipóteses ou interpretações que orientam e formam o olhar. Hobbes está portanto em condições favoráveis para desmontar os "fatos" obtidos por Boyle, mostrando seu caráter convencional e construído. Num certo sentido, Hobbes tem razão: a separação dos fatos "sem significação" e das explicações é artificial. Mas será o problema essencial de Boyle e dos experimentalistas o de ter razão, ou seja, o de ater-se ao real? O problema deles não seria antes montar um dispositivo capaz de isolar do saber uma parte virtual, móvel, reprodutível, independente das pessoas, ainda que seja apenas no seio da rede restrita dos laboratórios providos dos meios de refazer as experiências? Aqui, o caráter móvel, destacável, não-significante e circulante, é o *fato*. O esforço para instituir a ciência como máquina virtualizante foi provavelmente mais fecundo que a vontade de ater-se ao real ou de dizer a verdade.

Um exemplo privilegiado ilustrará, para terminar, a potência virtualizante da gramatização. Evocarei agora não mais a virtualização do *conhecimento* pela comunidade científica, mas a do *reconhecimento* dos saberes e das competências pela sociedade em seu conjunto. Num sentido profundo, as competências dos indivíduos são únicas, ligadas a seu trajeto de vida singular, inseparáveis de um corpo sensível e de um mundo de significações pessoais. Isto é e continuará sendo verdade. Todavia, para as necessidades da vida econômica e social, mas igualmente para a satisfação simbólica dos indivíduos, essas competências devem ser identificadas e reconhecidas de maneira *convencional*. A necessidade de reconhecimento e de identificação é tanto mais premente na medida em que, como sublinhamos num capítulo anterior, competências e conhecimentos são hoje a fonte da maior parte de riqueza. Ora, o modo clássico de reconhecimento dos saberes — o diploma — é ao mesmo tempo:

— deficiente: nem todos têm diploma, embora cada um saiba alguma coisa;

— terrivelmente grosseiro: as pessoas que têm o mesmo diploma não têm as mesmas competências, sobretudo por causa de suas *experiências* diversas;

— e, finalmente, não padronizado: os diplomas estão vinculados a universidades ou, no máximo, a Estados, e não há sistema geral de equivalência entre diplomas de países diferentes.

O código oficial de reconhecimento dos saberes não oferece dupla articulação, nem, aliás, qualquer outra forma de articulação. Os diplomas não são compostos de elementos mais simples e reempregáveis numa outra sequência de elementos qualquer. São agregados molares indecomponíveis. Vários diplomas não formam uma unidade significante de nível superior, mas apenas uma justaposição bruta.

Face a essa situação, o sistema das árvores de conhecimentos foi imaginado e desenvolvido para virtualizar a relação com os saberes e as competências (Authier e Lévy, 1992). Assim, ele permite aos grupos e aos indivíduos identificar-se e orientar-se finamente num universo de conhecimentos em fluxo.

As árvores de conhecimentos propõem uma verdadeira gramatização do reconhecimento dos saberes. As partículas elementares de reconhecimentos, ou brevês, não têm significação completa nelas mesmas, mas somente em brasões, que são sequências de brevês (*curricula*) obtidos por um indivíduo e projetados sobre a árvore de conhecimentos de uma comunidade. Um conjunto de brevês pode servir para compor uma quantidade infinita de caminhos de aprendizagem diferentes. O mesmo *curriculum* individual adquire uma significação e um valor diferentes na árvore de uma ou de outra comunidade.

Obtém-se claramente um sistema de dupla articulação. Primeiramente, entre os brevês e os *curricula* individuais (como entre os fonemas e as palavras). Segundo, entre os *curricula* e as árvores: uma árvore emerge dos percursos de aprendizagem dos membros de uma comunidade e os estrutura em troca na forma de brasões (como entre as palavras e as frases: a frase é feita de palavras com valor semântico indeterminado e atualiza em troca o sentido das palavras que a compõem). *A priori*, qualquer brevê — com maior ou menor sucesso — pode se integrar em qualquer *curriculum*, e qualquer *curriculum* — com fortunas diversas — pode se introduzir em qualquer árvore. O brevê é o caráter móvel da identificação dos saberes. Esse funcionamento gramatical em dupla articulação é a condição de possibilidade de uma padronização, de uma desterritorialização, de uma virtualização do saber reconhecido. Espécie de fonema da identificação das competências, o brevê representa uma partícula *virtual* de competência. É inteiramente necessário, portanto, que ele seja estereotipado, independente das pessoas, dos lugares ou dos estudos. Por outro lado, um brasão numa árvore exprime os saberes de um indivíduo num contexto dado; ele oferece uma imagem — sempre singular — da *atualização* das competências de uma pessoa em situação.

Essa abordagem é racional e prática. Permite resolver numerosos problemas que são ao mesmo tempo prementes e concretos. No entanto, ela "cheira a enxofre" pela razão mesma que faz disso uma invenção: o reconhecimento das competências é inteiramente desconectado de qualquer hipótese particular sobre a ordem dos saberes. São os caminhos de aprendizagem dos coletivos, sempre diferentes, que fazem emergir classificações de conhecimentos variadas, visualizadas por árvores. Alguma coisa foi liberada.

A DIALÉTICA E A RETÓRICA, APOGEU DA VIRTUALIZAÇÃO

Um homem pré-histórico vê um galho. Reconhece-o pelo que é. Mas a história não termina aí, pois o homem, ao dialetizar, vê uma imagem duplicada. Ele envesga os olhos sobre o galho e o imagina como bastão. O galho significa o bastão. O galho é um bastão virtual. Substituição. Toda a técnica está fundada nessa capacidade de torção, de desdobramento ou de heterogênese do real. Uma entidade real, imersa em sua identidade e sua função, desprende subitamente uma outra função, uma outra identidade, entra em novas combinações, é arrebatada num processo de heterogênese. É a mesma capacidade de interpretar ou inventar sentidos que se pratica na linguagem e na técnica, na bricolagem e na leitura.

Assim como há uma dialética dos signos e uma dialética das coisas, a dialética das pessoas, por sua vez, nos obriga mutuamente a integrar o ponto de vista do outro, a significarmo-nos reciprocamente nas negociações, nos contratos, nas convenções, nos tratados, nos acordos, nas regras da vida pública em geral. Ao colocarmo-nos (virtualmente) no lugar do outro, entregamo-nos ao jogo dialético da substituição.

Caberia falar da dialetização como de uma operação ativa. Dialetizar, como vimos, é organizar uma correspondência: troca recíproca de argumentos entre sujeitos, mas também relação entre entidades que se põem de súbito a significar-se mutuamente. Ao contrário de uma grande divisão entre os signos e as coisas, a dialética virtualizante estabelece relações de significação, de associação ou de remissão entre uma entidade e uma outra qualquer. Toda coisa pode passar a significar; simetricamente, cada signo depende de uma inscrição física, de um material de expressão. Arrastados nesse processo dialético, os seres se desdobram: por uma parte, permanecem eles mesmos, por outra, são vetores de um outro. Com isso, já não são mais eles mesmos, embora sua identidade seja precisamente o fundamento de sua capacidade de significar. O si e o outro formam um loop, o interior e o exterior passam continuamente a seu oposto, como num anel de Moebius.

A operação dialética funda o virtual porque abre, sempre de uma forma diferente, um segundo mundo. O mundo público ou religioso surge do próprio seio da interação dos sujeitos privados que o social por sua vez produz. O tecnocosmo cresce como uma complexificação fractal da natureza. O mundo das ideias, enfim, imagem das imagens, lugar dos arquétipos, modela a experiência numa face e reflete a realidade na outra.

As operações da virtualização ou o trívio antropológico   93

O segundo mundo de que falamos não preexiste à operação dialética, não é, justamente, "real" e estático. Ele nasce e renasce sem cessar, sempre no estado nascente — e sempre como um outro, ainda um outro mundo — de um processo infinito de desdobramento, de remissão e de correspondência.

As operações gramaticais multiplicam os graus de liberdade. No terreno flexibilizado pela gramática, a dialética impele as cadeias de desvios e os processos rizomáticos do sentido, abrindo assim o caminho aos mundos virtuais que a retórica habita e faz crescer com toda a autonomia.

Gramática, dialética e retórica sucedem-se apenas numa ordem lógica de exposição. Nos processos concretos de virtualização, são simultâneas, ou mesmo puxadas pela retórica. A gramática separa elementos e organiza sequências. A dialética faz funcionar substituições e correspondências. A retórica separa seus objetos de toda combinatória, de toda referência, para desdobrar o virtual como um mundo autônomo. A retórica geral que invocamos aqui reúne as operações de criação do mundo humano, tanto na ordem da linguagem quanto na ordem técnica ou relacional: invenção, composição, estilo, memória, ação. Jorro ontológico bruto, a criação situa-se além da utilidade, da significação ou da verdade. Mas o movimento mesmo que carrega essa positividade escava os atratores e caminhos que lhe cedem a passagem. O ato retórico, que diz respeito à essência do virtual, coloca questões, dispõe tensões e propõe finalidades; ele as põe em cena, as põe em jogo no processo vital. A invenção suprema é a de um problema, a abertura de um vazio no meio do real.

7.
A VIRTUALIZAÇÃO DA INTELIGÊNCIA
E A CONSTITUIÇÃO DO SUJEITO

Após ter examinado, no capítulo precedente, as *operações* da virtualização, evocarei, no capítulo seguinte, seu *objeto*, ou melhor, o surgimento do objeto como conclusão da virtualização. Mas, a fim de chegar até o objeto por uma progressão lógica, levarei o leitor a uma exploração prévia da virtualização da inteligência. Três temas serão entrelaçados neste capítulo e no seguinte: a parte coletiva da cognição e da afetividade pessoal, a questão do "coletivo pensante" enquanto tal, e a inteligência coletiva como utopia tecnopolítica. A trama da questão do objeto e a da inteligência coletiva só poderá se justificar no curso da discussão a seguir.

Nós, seres humanos, jamais pensamos sozinhos ou sem ferramentas. As instituições, as línguas, os sistemas de signos, as técnicas de comunicação, de representação e de registro informam profundamente nossas atividades cognitivas: toda uma sociedade cosmopolita pensa dentro de nós. Por esse motivo, não obstante a permanência das estruturas neuronais de base, o pensamento é profundamente histórico, datado e situado, não apenas em seu propósito mas também em seus procedimentos e modos de ação.

Se o coletivo pensa dentro de nós, pode-se afirmar que existe um pensamento atual, efetivo, dos coletivos humanos? Pode-se falar de uma inteligência sem consciência unificada ou de um pensamento sem subjetividade? Até que ponto é preciso redefinir as noções de pensamento e de psiquismo para que se tornem congruentes com as sociedades? Tornamo-nos, dizem, os neurônios de um hipercórtex planetário, portanto é urgente esclarecer esses problemas e marcar as diferenças entre espécies de inteligência coletiva, em particular as que separam as sociedades humanas dos formigueiros e das colmeias.

O desenvolvimento da comunicação assistida por computador e das redes digitais planetárias aparece como a realização de um projeto mais ou menos bem formulado, o da constituição deliberada de novas formas de inteligência coletiva, mais flexíveis, mais democráticas, fundadas sobre a reciprocidade e o respeito das singularidades. Neste sentido, poder-se-ia definir a inteligência coletiva como uma inteligência distribuída em toda parte, continuamente valorizada e sinergizada em tempo real. Esse novo ideal poderia substituir a inteligência artificial como mito mobilizador do desenvolvimento das tecnologias digitais... e ocasionar, além disso, uma reorientação das ciências cognitivas, da filosofia do espírito e da antropologia para as questões da ecologia ou da economia da inteligência.

Ao explorar esses problemas, farei trabalhar os conceitos de virtual e de atual obtidos nos capítulos precedentes, bem como a teoria da antropogênese por virtualização. Tornaremos a encontrar especialmente as operações de elevação à problemática, de desterritorialização, de colocação em comum, de constituição recíproca da interioridade e da exterioridade que foram associadas à virtualização desde o início deste livro.

Após ter evocado o papel capital das linguagens, das técnicas e das instituições na constituição do psiquismo individual, irei expor brevemente os temas centrais da ecologia ou da economia cognitiva. Num segundo momento, tentarei formular uma definição do psiquismo compatível com a ideia de pensamento coletivo. Isto me levará a examinar as concepções darwinianas da inteligência, e depois a completar essas noções por uma abordagem afetiva, que dê conta da dimensão de interioridade do espírito. Num terceiro momento, descreverei as novas formas de inteligência coletiva possibilitadas pelas redes digitais interativas e as perspectivas que elas abrem para uma evolução social positiva. A análise do funcionamento do ciberespaço terá servido para preparar a última parte, consagrada à análise do operador "ob-

96   O que é o virtual?

jeto" na constituição dos coletivos inteligentes, do mercado capitalista ao enigma da hominização. Veremos finalmente que o objeto, chave da inteligência coletiva, suporte por excelência da virtualidade, opõe-se à coisa "real" como a seu duplo tenaz e perverso.

A INTELIGÊNCIA COLETIVA NA INTELIGÊNCIA PESSOAL: LINGUAGENS, TÉCNICAS, INSTITUIÇÕES

Chamo "inteligência" o conjunto canônico das aptidões cognitivas, a saber, as capacidades de perceber, de lembrar, de aprender, de imaginar e de raciocinar. Na medida em que possuem essas aptidões, os indivíduos humanos são todos inteligentes. No entanto, o exercício de suas capacidades cognitivas implica uma parte coletiva ou social geralmente subestimada.

Antes de mais nada, jamais pensamos sozinhos, mas sempre na corrente de um diálogo ou de um multidiálogo, real ou imaginado. Não exercemos nossas faculdades mentais superiores senão em função de uma implicação em comunidades vivas com suas heranças, seus conflitos e seus projetos. Em plano de fundo ou em primeiro plano, essas comunidades estão sempre presentes no menor de nossos pensamentos, quer elas forneçam interlocutores, instrumentos intelectuais ou objetos de reflexão. Conhecimentos, valores e ferramentas transmitidos pela cultura constituem o contexto nutritivo, o caldo intelectual e moral a partir do qual os pensamentos individuais se desenvolvem, tecem suas pequenas variações e produzem às vezes inovações importantes.

Iremos nos deter especialmente sobre os instrumentos, em primeiro lugar. É impossível exercermos nossa inteligência independentemente das línguas, linguagens e sistemas de signos (notações científicas, códigos visuais, modos musicais, simbolismos) que herdamos através da cultura e que milhares ou milhões de outras pessoas utilizam conosco. Essas linguagens arrastam consigo maneiras de recortar, de categorizar e de perceber o mundo,

A virtualização da inteligência e a constituição do sujeito

contêm metáforas que constituem outros tantos filtros daquilo que é dado e pequenas máquinas de interpretar, carregam toda uma herança de julgamentos implícitos e de linhas de pensamento já traçadas. As línguas, as linguagens e os sistemas de signos induzem nossos funcionamentos intelectuais: as comunidades que os forjaram e fizeram evoluir lentamente pensam dentro de nós. Nossa inteligência possui uma dimensão coletiva considerável porque somos seres de linguagem.

Por outro lado, as ferramentas e os artefatos que nos cercam incorporam a memória longa da humanidade. Toda vez que os utilizamos, recorremos portanto à inteligência coletiva. As casas, os carros, as televisões e os computadores resumem linhas seculares de pesquisa, de invenções e de descobertas. Cristalizam igualmente os tesouros de organização e de cooperação empregados para produzi-los efetivamente.

Mas as ferramentas não são apenas memórias, são também máquinas de perceber que podem funcionar em três níveis diferentes: direto, indireto e metafórico. Diretamente, lentes, microscópios, telescópios, raios X, telefones, máquinas fotográficas, câmeras, televisões etc. estendem o alcance e transformam a natureza de nossas percepções. Indiretamente, os carros, os aviões ou as redes de computadores (por exemplo) modificam profundamente nossa relação com o mundo, e em particular nossas relações com o espaço e o tempo, de tal modo que se torna impossível decidir se eles transformam o mundo humano ou nossa maneira de percebê-lo. Enfim, os instrumentos e artefatos materiais nos oferecem muitos modelos concretos, socialmente compartilhados, a partir dos quais podemos apreender, por metáfora, fenômenos ou problemas mais abstratos. Assim, Aristóteles refletia sobre a causalidade a partir do exemplo do oleiro, as pessoas do século XVII representavam o corpo como uma espécie de mecanismo, e nós construímos hoje modelos computacionais da cognição. Os artefatos fazem o imenso trabalho dos homens e sua inteligência longa participar de nossa percepção do mundo, aqui e agora.

98   O que é o virtual?

O universo de coisas e de ferramentas que nos cerca e que compartilhamos pensa dentro de nós de mil maneiras diferentes. Deste modo, mais uma vez, participamos da inteligência coletiva que as produziu.

Enfim, as instituições sociais, leis, regras e costumes que regem nossos relacionamentos influem de modo determinante sobre o curso de nossos pensamentos. Assim, conforme uma pessoa seja pesquisador em física de altas energias, sacerdote, chefe de um serviço público ou operador financeiro, será favorecida, em cada caso, uma ou outra qualidade intelectual em vez de uma terceira. A comunidade científica, a Igreja, a burocracia de Estado ou a Bolsa encarnam, cada uma, formas diferentes de inteligência coletiva, com seus modos de percepção, de coordenação, de aprendizagem e de memorização distintos. Presidindo aos tipos de interação entre indivíduos, as "regras do jogo" social modelam a inteligência coletiva das comunidades humanas assim como as aptidões cognitivas das pessoas que nelas participam.

Cada indivíduo humano possui um cérebro particular, que se desenvolveu, a grosso modo, sobre o mesmo modelo que o dos outros membros de sua espécie. Pela biologia, nossas inteligências são individuais e semelhantes (embora não idênticas). Pela cultura, em troca, nossa inteligência é altamente variável e coletiva. Com efeito, a dimensão social da inteligência está intimamente ligada às linguagens, às técnicas e às instituições, notoriamente diferentes conforme os lugares e as épocas.

ECONOMIAS COGNITIVAS

Com as instituições e as "regras do jogo", passamos das dimensões coletivas da inteligência individual à inteligência do coletivo enquanto tal. É possível, com efeito, considerar os grupos humanos como "meios" ecológicos ou econômicos nos quais espécies de representações ou de ideias aparecem e morrem, se propagam ou regridem, competem entre si ou vivem em simbiose,

A virtualização da inteligência e a constituição do sujeito

conservam-se ou transformam-se. Não falamos apenas das ideias, representações, mensagens ou proposições individuais, mas também de suas espécies: gêneros literários ou artísticos, modos de organização dos conhecimentos, tipos de argumentações ou de "lógicas" em uso, estilos e suportes das mensagens. Um coletivo humano é o palco de uma economia ou de uma ecologia cognitiva no seio das quais evoluem espécies de representações (Sperber).

Formas sociais, instituições e técnicas modelam o ambiente cognitivo de tal modo que certos tipos de ideias ou de mensagens têm mais chance de se reproduzir que outros. Entre todos os fatores que coagem a inteligência coletiva, as tecnologias intelectuais que são os sistemas de comunicação, de escrita, de registro e de tratamento da informação desempenham um papel considerável. De fato, certos tipos de representações dificilmente podem sobreviver ou mesmo aparecer em ambientes desprovidos de certas tecnologias intelectuais, ao passo que prosperam em outras "ecologias cognitivas". Por exemplo, as listas de números, os catálogos, os conhecimentos organizados de modo sistemático não podem ser facilmente transmitidos em culturas sem escrita. Em troca, as sociedades orais favorecem a codificação das representações sob forma de narrativas, que podem ser retidas e transmitidas mais facilmente na ausência de um suporte escrito. Para tomar um exemplo mais contemporâneo, uma parte crescente de conhecimentos se exprime hoje por modelos digitais interativos e simulações, o que era evidentemente impensável antes dos computadores com interfaces gráficas intuitivas. Os tipos de representações que prevalecem nesta ou naquela "economia cognitiva" favorecem modos de conhecimento distintos (mito, teoria, simulações), com os estilos, os critérios de avaliação, os "valores" que lhes correspondem, de modo que as mudanças de tecnologias intelectuais ou de meios de comunicação podem indiretamente ter profundas repercussões sobre a inteligência coletiva.

As infraestruturas de comunicação e as tecnologias intelectuais sempre estabeleceram estreitas relações com as formas de organização econômicas e políticas. Recordemos a esse respeito alguns exemplos bem conhecidos. O nascimento da escrita está ligado aos primeiros Estados burocráticos de hierarquia piramidal e às primeiras formas de administração econômica centralizada (imposto, gestão de grandes domínios agrícolas). O aparecimento do alfabeto na Grécia antiga é contemporâneo da emergência da moeda, da cidade antiga e sobretudo da invenção da democracia: ao difundir-se a prática da leitura, todos podiam tomar conhecimento das leis e discuti-las. A impressão tornou possível uma larga difusão dos livros e a própria existência dos jornais, fundamento da opinião pública. Sem ela, as democracias modernas não teriam nascido. Por outro lado, as gráficas representam a primeira indústria de massa, e o desenvolvimento tecnocientífico que elas favoreceram foi um dos motores da revolução industrial. As mídias audiovisuais do século XX (rádio, televisão, discos, filmes) participaram da emergência de uma sociedade do espetáculo que subverteu as regras do jogo tanto na vida política quanto no mercado (publicidade, economia da informação e da comunicação).

Importa no entanto sublinhar que o aparecimento ou a extensão de tecnologias intelectuais não determinam automaticamente este ou aquele modo de conhecimento ou de organização social. Distingamos portanto cuidadosamente as ações de causar ou de determinar, de um lado, e as de condicionar ou tornar possível, de outro. As técnicas não determinam, elas condicionam. Abrem um largo leque de novas possibilidades das quais somente um pequeno número é selecionado ou percebido pelos atores sociais. Se as técnicas não fossem elas mesmas condensações da inteligência coletiva humana, poder-se-ia dizer que a técnica propõe e que os homens dispõem.

Máquinas darwinianas

A noção de inteligência coletiva não é uma simples metáfora, uma analogia mais ou menos esclarecedora, mas de fato um conceito coerente. Vamos agora tentar construir tal conceito. Precisamos encontrar uma definição de um "espírito" que seja inteiramente compatível com um sujeito coletivo, isto é, com uma inteligência cujo sujeito seja ao mesmo tempo múltiplo, heterogêneo, distribuído, cooperativo/competitivo e que esteja constantemente engajado num processo auto-organizador ou autopoiético. O conjunto dessas condições elimina automaticamente os modelos calculatórios ou informáticos do tipo "máquina de Turing", que não têm a propriedade de autocriação.

Em troca, os modelos inspirados na biologia parecem melhores candidatos, especialmente a abordagem "darwiniana". Por definição, os princípios "darwinianos" aplicam-se a populações. Eles fazem atuar um gerador de variabilidade ou de novidade: mutações genéticas, uso de uma nova conexão neuronal, invenções, criação de empresa ou de produtos etc. Acoplada a seu ambiente, a máquina darwiniana *seleciona* entre as novidades injetadas pelo gerador. Sua escolha é sobretudo limitada pela viabilidade e a capacidade de reprodução dos indivíduos ou das subpopulações providas do novo caráter. Os sistemas darwinianos apresentam uma capacidade de aprendizagem não dirigida ou (o que dá no mesmo do ponto de vista de uma teoria do espírito) de uma capacidade de autocriação contínua. Pelo jogo dialético das mutações, das seleções e da transmissão dos elementos selecionados, as máquinas darwinianas arrastam consigo seus ambientes no caminho de uma história irreversível. As máquinas darwinianas encarnam a seu modo a memória dessa história.

Os princípios dos sistemas darwinianos aplicam-se ao mesmo tempo à ecologia das espécies vivas, entre os grupos humanos considerados como meios de desenvolvimento das representações, à economia de mercado (populações de produtores, de consumidores de bens), ao psiquismo individual entendido como sociedade de pensamentos e de módulos cognitivos; aplicam-se ao funcionamento do cérebro, enfim, compreendido segundo os princípios do darwinismo neuronal. Acrescentemos que os sistemas capazes de aprendizagem não dirigida podem ser, junto com seus ambientes, simulados por computador. Os algoritmos genéticos e diver-

102　　　　　　　　　　　　　　　　　　O que é o virtual?

sos sistemas de "vida artificial" permitem imaginar que o software, simbioticamente ligado ao meio tecnológico e humano do ciberespaço, poderia em breve representar o mais novo dos sistemas darwinianos capazes de aprendizagem e de autocriação. A máquina darwiniana é ainda mais inteligente se funciona "fractalmente", em várias escalas ou níveis de criação encaixados. Por exemplo, o mercado pode ser considerado como uma máquina darwiniana, mas ele é mais "inteligente" se as empresas e os consumidores que o animam forem, por sua vez, máquinas darwinianas (organizações que aprendem, associações de consumidores). Um cérebro é ao mesmo tempo o resultado de um processo darwiniano na escala da evolução biológica e na escala da aprendizagem individual. Ademais, ele integra vários tipos de "populações que aprendem" de escalas diferentes: grupos de neurônios, mapas extensos de zonas sensoriais, sistemas de regulações globais etc. (Edelman, 1992).

As quatro dimensões da afetividade

Embora o fato de ser um sistema darwiniano seja uma condição necessária para ser um espírito, não é, em nossa opinião, uma condição suficiente. É na intencionalidade ou no fato de se referir a entidades exteriores ao espírito que estará o problema, como nos debates a favor ou contra a inteligência dos computadores? Não, pois as máquinas darwinianas de modo algum funcionam em circuitos fechados, são por definição acopladas a um ambiente. Sua natureza é traduzir o outro em si ou implicar em sua própria organização a história de suas relações com seu ambiente. Em compensação, nada, na definição geral das máquinas darwinianas, implica necessariamente a experiência subjetiva, a dimensão de interioridade da sensação, isto é, em última análise, a *afetividade*. Convém distinguir com cuidado entre a afetividade e a consciência. Um espírito pode ser inconsciente, como o espírito de certos animais, como uma parte considerável do espírito humano e, conforme veremos, como os "espíritos" que emergem de coletivos inteligentes. Quanto à afetividade, que pode ser confusa, inconsciente, múltipla, heterogênea, ela constitui — contrariamente à consciência — uma dimensão necessária do psiquismo e talvez até sua essência. Sem afetividade, o sistema considerado retorna à insensibilidade, à exterioridade e à dispersão ontológica do simples mecanismo. Um espírito deve ser afetivo, ele não é necessariamente consciente. A consciência é o produto da seleção, da linearização e da manifestação parcial de uma afetividade à qual ela deve tudo.

Interessa menos a nosso propósito decidir o que tem e o que não tem a ver com o psiquismo do que dar uma definição do psiquismo que possa se aplicar tanto a um espírito humano individual quanto a uma inteligência coletiva: um conceito de espírito que seja inteiramente compatível com um sujeito coletivo.

Um psiquismo integral, portanto capaz de afeto, pode ser analisado segundo quatro dimensões complementares: uma topologia, uma semiótica, uma axiologia e uma energética. Já evoquei essas quatro dimensões no capítulo sobre a virtualização da economia, desenvolvo-as agora mais extensamente.

1. Uma topologia. O psiquismo é estruturado a cada instante por uma conectividade, sistemas de proximidades ou um "espaço" específico: associações, ligações, caminhos, portas, comutadores, filtros, paisagens de atratores. A topologia do psiquismo está em transformação constante, certas zonas sendo mais móveis e outras mais fixas, algumas mais densas e outras mais frouxas.

2. Uma semiótica. Hordas mutantes de representações, de imagens, de signos, de mensagens de todas as formas e todas as matérias (sonoras, visuais, táteis, proprioceptivas, diagramáticas) povoam o espaço das conexões. Ao circularem pelos caminhos e ao ocuparem as zonas da topologia, hordas de signos modificam a paisagem de atratores psíquicos. Por isso os signos, ou grupos de signos, podem também ser chamados agentes. Simetricamente, as transformações da conectividade influem sobre as populações de signos e de imagens. A topologia é ela mesma o conjunto das

conexões ou relações, qualitativamente diferenciadas, entre os signos, mensagens ou agentes.

3. Uma axiologia. As representações e as zonas do espaço psíquico estão ligadas a "valores" positivos ou negativos segundo diferentes "sistemas de medidas". Esses valores determinam tropismos, atrações e repulsas entre imagens, polaridades entre zonas ou grupos de signos. Os valores são por natureza móveis e mutáveis, embora alguns também possam demonstrar uma estabilidade.

4. Uma energética. Os tropismos ou valores associados às imagens podem ser intensos ou fracos. O movimento de um grupo de representações pode vencer certas barreiras topológicas (afrouxar certas ligações, criar outras, modificar a paisagem de atratores) ou, por falta de "força", permanecer aquém delas. O conjunto do funcionamento psíquico é assim irrigado e animado por uma economia "energética": deslocamentos ou imobilizações de forças, fixação ou mobilização de valores, circulações ou cristalizações de energia, investimento ou desinvestimento em representações, conexões etc.

Resulta do modelo que acabamos de esboçar em linhas gerais que o funcionamento psíquico é paralelo e distribuído em vez de sequencial e linear. Um afeto, ou uma emoção, pode ser definido como um processo ou um acontecimento psíquico que põe em jogo pelo menos uma das quatro dimensões que acabamos de mencionar: topologia, semiótica, axiologia e energética. Mas, sendo essas quatro dimensões mutuamente imanentes, um afeto é, de maneira mais geral, uma modificação do espírito, um diferencial de vida psíquica. Simetricamente, a vida psíquica manifesta-se como um fluxo de afetos.

Esse modelo, sublinhemos, é compatível ao mesmo tempo com os últimos dados da psicologia cognitiva (em particular no que diz respeito à organização "semântica" da memória de longo prazo), com as teses principais da psicanálise, e mesmo da esquizoanálise, sem contradizer tampouco a experiência introspectiva ou a fenomenologia.

Ele é igualmente compatível com a abordagem darwiniana, uma vez que as configurações do espaço psíquico abstrato de quatro dimensões são continuamente modificadas por contribuições "exteriores" e redistribuídas pelas dinâmicas próprias do meio psíquico. É possível traçar uma correspondência entre essas transformações constantes e os efeitos do "gerador de variedade" da máquina darwiniana. Acoplado a seu ambiente, o sistema psíquico "seleciona" dinâmicas afetivas viáveis ao longo de uma história ou de um caminho evolutivo irreversível: constituição da "personalidade" individual ou coletiva, aprendizagens, invenções, obsolescência de linguagens, investimentos ou desinvestimentos afetivos.

O psiquismo constitui uma interioridade. Com efeito, sua topologia não é um recipiente neutro, um sistema puro de coordenadas, mas sim um espaço qualitativo, diferenciado, cujas partes estão em relação umas com as outras e compõem figuras, ou arranjos figuras/fundos. Ademais, os signos e mensagens, ao circularem e povoarem o espaço, ao se remeterem mutuamente, ao atualizarem a conectividade, forjam igualmente a interioridade do espírito. Por sua vez, os valores se entredeterminam e formam sistema. Enfim, a energia que irriga o espírito não abandona um lugar senão para ocupar outro, contribuindo para uma forma de coordenação, de codependência e de unidade no seio do psiquismo.

Mas a unidade do psiquismo é a de uma multiplicidade fervilhante e sua interioridade "afetiva" não é em absoluto um fechamento. Como diz Gilles Deleuze, o interior é uma dobra do exterior. Vimos que os psiquismos são *também* máquinas darwinianas, isto é, identificam-se com um processo de transformação-tradução do outro em um si, um si jamais definitivamente fechado mas sempre em desequilíbrio, em posição de abertura, de acolhimento, de mutação; um si cuja ponta fina é talvez a qualidade singular do processo de assimilação do outro e de heterogênese. Essa abertura começa na simples sensação, passa pela aprendizagem e o diálogo, culmina com o *devir*: quimerização ou transição para uma outra subjetividade.

O modelo que propusemos do psiquismo pode se aplicar a um texto, um filme, uma mensagem ou uma obra qualquer. Com efeito, no caso de uma mensagem complexa, temos:

— uma coleção de signos ou de componentes da mensagem;

— conexões, remissões, ecos entre as partes da mensagem;

— uma distribuição de valores positivos ou negativos sobre os elementos, zonas e ligações, bem como um valor que emerge do conjunto;

— e enfim uma energia diferentemente investida em certas ligações, em certos valores: "linhas de força", uma estrutura.

O conjunto da mensagem, se nos ativermos à sua significação, funciona como uma configuração dinâmica, uma espécie de campo de força instável (diversamente interpretável) e que remete evidentemente a seu exterior para funcionar: outras mensagens, referentes "reais", intérpretes.

A mensagem é ela mesma um agente afetivo para o espírito de quem a interpreta. Se o texto, a mensagem ou a obra funcionam como um espírito, é porque já são lidos, traduzidos, compreendidos, introduzidos, assimilados numa matéria mental e afetiva. Um sujeito transmutou uma série de acontecimentos físicos em mensagem significante, ou melhor, assim como o rei Midas que nada podia tocar sem transformá-lo em ouro, o espírito jamais pode apreender algo que não se transforme, exatamente por isso, em movimentos e dobras de um rico tecido colorido: em afetos. O que acabamos de dizer aqui das mensagens se aplica precisamente da mesma maneira a todos os elementos de nossa experiência, ao próprio mundo. Para nós, o mundo, nosso mundo humano, é um campo problemático, uma configuração dinâmica, um imenso hipertexto em constante metamorfose, atravessado de tensões, cinzento e pouco investido em certas zonas, intensamente investido e luxuosamente detalhado em outras. As proximidades geográficas, as conexidades causais clássicas são apenas um pequeno subconjunto das ligações de significação, de analogia e de circulação afetiva que estruturam nosso universo subjetivo. O universo físico é um caso particular do mundo subjetivo que o cerca, o impregna e o sustenta. O sujeito não é outra coisa senão seu mundo, com a condição de entender-se por este termo tudo o que o afeto envolve. Assim é pouco afirmar que o psiquismo está aberto para o exterior; ele é *apenas* o exterior, mas um exterior infiltrado, tensionado, complicado, transubstanciado, animado pela afetividade. O sujeito é um mundo banhado de sentido e de emoção.

A imagem que acabamos de traçar da inteligência viva ou do psiquismo é, identicamente, a do virtual. Por natureza, e embora esteja sempre conectado a seu corpo, o sujeito afetivo se desdobra para fora do espaço físico. Desterritorializado, desterritorializante, ele existe, isto é, cresce de fato para além do "aí". O psiquismo, por construção, transforma o exterior em interior (o lado de dentro é uma dobra do lado de fora) e vice-versa, uma vez que o mundo percebido está sempre mergulhado no elemento do afeto. Enfim, a paisagem psíquica tal como procurei descrevê-la é da ordem da configuração dinâmica. Ela é a própria vida de um nó de forças, de coerções e de finalidades, a intimidade de um agregado de tensões, a imagem do campo instável de atratores heterogêneos que define toda situação problemática aberta.

O elemento psíquico oferece um exemplo canônico do virtual. Como se atualiza esse virtual? Através dos afetos. Mais uma vez, os afetos designam aqui os atos psíquicos, seja qual for sua natureza. A qualidade de um afeto depende do meio mental que lhe dá sentido e que ele contribui para determinar. Devido à implicação recíproca entre uma subjetividade e seu mundo, as qualidades afetivas são também dependentes das qualidades do ambiente, um meio exterior que não cessa de oferecer novos objetos, novas configurações práticas ou estéticas a investir. Assim, não existem limites *a priori* para a eclosão de novos tipos de afetos, como tampouco existem limites para a produção de objetos ou de paisagens inéditas. Poder-se-ia mesmo falar de uma inventividade afetiva. A classificação ordinária das emoções (medo, amor etc.) apresenta portanto apenas uma lista restrita e bastante simplificada dos tipos de afetos.

Sociedades pensantes

Compreende-se melhor, agora, por que a inteligência é atravessada de uma dimensão coletiva: é porque não são apenas as linguagens, os artefatos e as instituições sociais que pensam dentro de nós, mas o conjunto do mundo humano, com suas linhas de desejo, suas polaridades afetivas, suas máquinas mentais híbridas, suas paisagens de sentido forradas de imagens. Agir sobre seu meio, por pouco que seja, mesmo de um modo que se poderia pretender puramente técnico, material ou físico, equivale a erigir o mundo comum que pensa diferentemente dentro de cada um de nós, equivale a secretar indiretamente qualidade subjetiva e trabalhar no afeto. Que dizer então da produção de mensagens ou de relacionamentos? Eis aí o nó da moral: vivendo, agindo, pensando, tecemos o tecido mesmo da vida dos outros.

E compreendemos assim por que coletivos humanos enquanto tais podem ser ditos inteligentes. Porque o psiquismo é, desde o início e por definição, coletivo: trata-se de uma multidão de signos-agentes em interação, carregados de valores, investindo com sua energia redes móveis e paisagens mutáveis.

Os coletivos humanos são espécies de megapsiquismos, não apenas por serem percebidos e afetivamente investidos por pessoas, mas porque podem ser adequadamente modelados por uma topologia, uma semiótica, uma axiologia e uma energética mutuamente imanentes. Megassujeitos sociais, embora sem consciência linearizante, são, enquanto tais, atravessados de afetos. Um imenso jogo afetivo produz a vida social. Um papel de seleção e de apresentação sequencial desempenhado pela consciência nas pessoas é cumprido de um jeito ou de outro nas coletividades por estruturas políticas, religiosas ou midiáticas que habitam em troca os sujeitos individuais. Mas a comparação entre os serviços prestados ao indivíduo por sua consciência e aqueles que as mídias centralizadoras ou os porta-vozes prestam aos coletivos nem sempre é em proveito destes últimos.

É verdade que a inteligência é fractal, ou seja, se reproduz de maneira comparável em diferentes escalas de grandeza: macrossociedades, psiquismos transindividuais de pequenos grupos, indivíduos, módulos infraindividuais (zonas do cérebro, "complexos" inconscientes), agenciamentos transversais entre módulos infraindividuais de pessoas diferentes (relações sexuais, neuroses complementares...). Cada nó ou zona do hipercórtex coletivo contém por sua vez um psiquismo vivo, uma espécie de hipertexto dinâmico atravessado de tensões e de energias tingidas de qualidades afetivas, animadas de tropismos, agitadas de conflitos. No entanto, por sua ligação a um corpo mortal e à sua consciência, a *persona* manifesta uma tonalidade psíquica e uma intensidade afetiva absolutamente singulares.

Em contrapartida, há uma qualidade difundida em diversos graus em todos os tipos de espíritos mas que as sociedades humanas (e não mais os indivíduos) exemplificam melhor que as outras: a de refletir o todo do espírito coletivo, cada vez diferentemente, em cada uma de suas partes. Os sistemas inteligentes são "holográficos" e os grupos humanos são os mais holográficos dos sistemas inteligentes. Como as mônadas de Leibniz ou as ocasiões atuais de Whitehead, as pessoas encarnam, cada uma delas, uma seleção, uma versão, uma visão particulares do mundo comum ou do psiquismo global.

COLETIVOS HUMANOS E SOCIEDADES DE INSETOS

A noção de inteligência coletiva evoca irresistivelmente o funcionamento das sociedades de insetos: abelhas, formigas, cupins. No entanto, as comunidades humanas diferem profundamente dos cupinzeiros.

Primeira diferença, da qual decorrem todas as outras, a inteligência coletiva pensa dentro de nós, ao passo que a formiga é uma parte quase opaca, quase não holográfica, um elo inconsciente do formigueiro inteligente. Podemos usufruir inteligentemente da inteligência coletiva, que aumenta e modifica nossa própria inteligência. Contemos ou refletimos parcialmente, cada um à sua maneira, a inteligência do grupo. A formiga, em troca, tem apenas uma pequeníssima fruição ou visão da inteligência social. Não obtém dela um acréscimo mental. Obediente beneficiária, participa somente às cegas dessa inteligência.

Isto equivale a dizer, de uma maneira mais trivial, que o homem é (antes de tudo) inteligente, enquanto a formiga é, relativamente ao humano, estúpida. A formiga não somente recebe menos que o humano da inteligência social, como também, simetricamente, contribui para ela apenas numa fraca medida. Uma mulher ou um homem, no quadro de uma cultura, é capaz de aprender, de imaginar, de inventar e finalmente de fazer evoluir, mesmo que muito modestamente, as linguagens, as técnicas, as relações sociais que vigoram em seu ambiente, o que uma formiga — estritamente submetida a uma programação genética — dificilmente é capaz de fazer. Entre os insetos, somente a sociedade pode resolver problemas originais, ao passo que, entre os humanos, os indivíduos são em geral mais inventivos que certos grupos tais como as multidões ou as burocracias rígidas. A inteligência das sociedades humanas é variável e, no melhor dos casos, evolutiva, graças à natureza dos indivíduos que a compõem e, o que é a outra face de uma mesma realidade, das ligações, geralmente livres ou contratuais, que a tecem. Em troca, no quadro de uma determinada espécie de formigas, o funcionamento do formigueiro é fixo.

O estatuto do indivíduo num e noutro tipo de sociedade cristaliza e resume o conjunto das diferenças que os opõem. O lugar e o papel de cada formiga estão definitivamente fixados. No seio de uma espécie particular, os tipos de comportamentos ou as diferentes morfologias (rainhas, operárias, guerreiras) são imutáveis. As formigas (como as abelhas e os cupins) estão organizadas em castas e as formigas da mesma casta são intercambiáveis sem perda. Em troca, as sociedades humanas não cessam de inventar novas categorias, os indivíduos passam de uma classe a outra e, sobretudo, é na verdade impossível reduzir uma pessoa

A virtualização da inteligência e a constituição do sujeito

a seu pertencimento a uma classe (ou a um conjunto de classes), pois cada indivíduo humano é singular. As pessoas, tendo seu próprio caminho de aprendizagem, encarnando respectivamente mundos afetivos e virtualidades de mutação social (mesmo mínima) diferentes, não são intercambiáveis. Os indivíduos humanos contribuem, cada um diferentemente e de maneira criativa, para a vida da inteligência coletiva que os ilumina em troca, ao passo que uma formiga obedece cegamente ao papel que lhe dita sua casta no seio de um vasto mecanismo inconsciente que a ultrapassa absolutamente.

Certas civilizações, certos regimes políticos tentaram aproximar a inteligência coletiva humana da dos formigueiros, trataram as pessoas como membros de uma categoria, fizeram crer que essa redução do humano ao inseto era possível ou desejável. Nossa posição filosófica, moral e política é perfeitamente clara: o progresso humano rumo à constituição de novas formas de inteligência coletiva se opõe radicalmente ao polo do formigueiro. Esse progresso deve, ao contrário, aprofundar a abertura da consciência individual ao funcionamento da inteligência social e melhorar a integração e a valorização das singularidades criadoras que os indivíduos e os pequenos grupos humanos formam nos processos cognitivos e afetivos da inteligência coletiva. Tal progresso de maneira nenhuma é garantido, está sempre ameaçado de regressões. Antes de ser uma lei da história, trata-se de um projeto transmitido, enriquecido, reinterpretado a cada geração e infelizmente suscetível de esclerose ou de esquecimento.

A OBJETIVAÇÃO DO CONTEXTO PARTILHADO

A reatualização contemporânea desse projeto passa provavelmente por um uso judicioso das técnicas de comunicação de suporte digital. As tecnologias intelectuais e os dispositivos de comunicação conhecem neste fim do século XX mutações massivas e radicais. Em consequência, as ecologias cognitivas estão em via de reorganização rápida e irreversível. A brutalidade da desestabilização cultural não deve nos desencorajar de discernir as formas emergentes mais positivas socialmente e de favorecer seu desenvolvimento. Como um dos principais efeitos da transformação em curso, aparece um novo dispositivo de comunicação no seio de coletividades desterritorializadas muito vastas que chamaremos "comunicação todos-todos". É possível experienciar isso na Internet, nos *chats* (BBS),[5] nas conferências ou fóruns eletrônicos, nos sistemas para o trabalho ou a aprendizagem cooperativos, nos *groupwares*, nos mundos virtuais e nas árvores de conhecimentos. Com efeito, o ciberespaço em via de constituição autoriza uma comunicação não midiática em grande escala que, a nosso ver, representa um avanço decisivo rumo a formas novas e mais evoluídas de inteligência coletiva.

Como se sabe, os meios de comunicação clássicos (relacionamento um-todos) instauram uma separação nítida entre centros emissores e receptores passivos isolados uns dos outros. As mensagens difundidas pelo centro realizam uma forma grosseira de unificação cognitiva do coletivo ao instaurarem um contexto comum. Todavia, esse contexto é imposto, transcendente, não resulta da atividade dos participantes no dispositivo, não pode ser negociado transversalmente entre os receptores. O telefone (relacionamento um-um) autoriza uma comunicação recíproca, mas não permite visão global do que se passa no conjunto da rede nem a construção de um contexto comum. No ciberespaço, em troca, cada um é potencialmente emissor e receptor num espaço qualitativamente diferenciado, não fixo, disposto pelos participantes, explorável. Aqui, não é principalmente por seu nome, sua posição geográfica ou social que as pessoas se encontram, mas segundo centros de interesses, numa paisagem comum do sentido ou do saber.

---

[5] *Chat*: serviço oferecido na comunicação que permite a participação simultânea, através de um texto ou mesmo voz, de diversos usuários em uma mesma conversa ou debate. (N. do T.)

Segundo modalidades ainda primitivas, mas que se aperfeiçoam de ano a ano, o ciberespaço oferece instrumentos de construção cooperativa de um contexto comum em grupos numerosos e geograficamente dispersos. A comunicação se desdobra aqui em toda a sua dimensão pragmática. Não se trata mais apenas de uma difusão ou de um transporte de mensagens, mas de uma interação no seio de uma situação que cada um contribui para modificar ou estabilizar, de uma negociação sobre significações, de um processo de reconhecimento mútuo dos indivíduos e dos grupos via atividade de comunicação. O ponto capital é aqui a objetivação parcial do mundo virtual de significações entregue à partilha e à reinterpretação dos participantes nos dispositivos de comunicação todos-todos. Essa objetivação dinâmica de um contexto coletivo é um operador de inteligência coletiva, uma espécie de ligação viva que funciona como uma memória, ou consciência comum. Uma subjetivação viva remete a uma objetivação dinâmica. O objeto comum suscita dialeticamente um sujeito coletivo.

Vejamos alguns exemplos de tal processo. A World Wide Web, tal como foi descrita no capítulo 3, é um tapete de sentido tecido por milhões de pessoas e devolvido sempre ao tear. Da permanente costura pelas pontas de milhões de universos subjetivos emerge uma memória dinâmica, comum, "objetivada", navegável. Descobrem-se assim paisagens de significações que emergem da atividade coletiva nos MUDDs (*Multi-users dungeons and dragons*), espécies de jogos de papéis (*role-playing games*) em forma de mundos virtuais de linguagem, elaborados em tempo real por centenas ou milhares de jovens dispersos pelo planeta. De um modo menos elaborado, temos igualmente as memórias comuns secretadas coletivamente nas conferências eletrônicas dos grupos de *chat*, ou os *news groups* da Internet, cuja lista mutável desenha um mapa dinâmico dos interesses de comunidades vibrionantes. Nos melhores casos, esses dispositivos constituem algo similar a enciclopédias vivas. As respostas aos *frequently asked questions* (FAQ) de alguns fóruns eletrônicos evitam as repetições e permitem a cada um inscrever-se no diálogo com um mínimo de conhecimentos básicos sobre o tema em questão. Os indivíduos são assim incitados a participar da maneira mais pertinente possível na inteligência coletiva.

Encontramos ainda as paisagens de significações partilhadas nas árvores de conhecimentos, mercados livres de uma nova economia do saber, que oferecem a cada participante de uma coletividade uma visão sintética da variedade das competências de seu grupo e lhe permitem reconhecer sob forma de imagem sua identidade em espaços de saber. Nas árvores de conhecimentos, a informação é sempre apresentada em contexto, segundo a relação visual figura/fundo, a figura sendo a informação e o fundo manifestando o contexto. Assim a mesma informação oferece um aspecto, uma imagem ou uma máscara diferente conforme se encontre num contexto ou noutro. Quanto ao contexto (a árvore, suas formas, suas cores), ele emerge dinamicamente dos atos de aprendizagem e de transação do saber efetuados pelos participantes e, de maneira mais geral, dos *corpus* de informação considerados e de sua utilização por uma comunidade.

O CÓRTEX DE ANTROPIA

A transmissão e a partilha de uma memória social são tão velhas quanto a humanidade. Narrativas, passes de mágica e sabedorias passam de geração a geração. Entretanto, o progresso das técnicas de comunicação e de registro ampliou consideravelmente o alcance do estoque compartilhável (bibliotecas, discotecas, cinematecas). Hoje, a informação disponível *on-line* ou no ciberespaço em geral compreende não apenas o "estoque" desterritorializado de textos, de imagens e de sons habituais, mas igualmente pontos de vista hipertextuais sobre esse estoque, bases de conhecimentos com capacidades de inferência autônomas e modelos digitais disponíveis para todas as simulações. Além dessas massas de documentos estáticos ou dinâmicos, paisagens de significações compartilhadas coordenam as estruturações subjetivas variadas do oceano informacional. A memória coletiva posta em ato no ciberespaço (dinâmica, emergente, cooperativa, retrabalhada em tempo real por interpretações) deve ser claramente distinguida da transmissão tradicional das narrativas e das competências, bem como dos registros estáticos das bibliotecas.

Para além da memória, os *softwares* são outros tantos micromódulos cognitivos automáticos que vêm se imbricar ao dos humanos e que transformam ou aumentam suas capacidades de cálculo, de raciocínio, de imaginação, de criação, de comunicação, de aprendizagem ou de "navegação" na informação. Toda vez que é produzido um novo programa, acentua-se o caráter coletivo da inteligência. Com efeito, se o fornecimento de informação aumenta apenas o *estoque* comum (ou enriquece sua estruturação), o programa, propriamente, representa um acréscimo aos *módulos operatórios* compartilhados. A programação cooperativa do software no ciberespaço ilustra de maneira evidente a autopoiese (ou produção de si) da inteligência coletiva, especialmente quando do o programa visa ele próprio a melhorar a infraestrutura de comunicação digital.

O ciberespaço favorece as conexões, as coordenações, as sinergias entre as inteligências individuais, e sobretudo se um contexto vivo for melhor compartilhado, se os indivíduos e os grupos puderem se situar mutuamente numa paisagem virtual de interesses e de competências, e se a diversidade dos módulos cognitivos comuns ou mutuamente compatíveis aumentar.

Sabe-se que em cada época histórica os humanos tiveram o sentimento de viver uma "virada" capital. Isto relativiza toda impressão da mesma ordem que diga respeito ao período contemporâneo. Não consigo porém desfazer-me da ideia de que vivemos hoje uma mutação maior nas formas da inteligência coletiva. A objetivação dinâmica do contexto emergente, o compartilhar em massa e sempre crescente de operadores cognitivos variados e a interconexão em tempo real independentemente da distância geográfica parecem reforçar mutuamente seus efeitos. Uma das características mais salientes da nova inteligência coletiva é a acuidade de sua reflexão nas inteligências individuais. Os atos do psiquismo de uma fração crescente da humanidade tornam-se quase diretamente sensíveis às pessoas. Algumas formas de mundos virtuais permitem quase exprimir, cartografar em tempo real os componentes topológicos, semióticos, axiológicos e energéticos de psiquismos coletivos.

A imagem via satélite de nosso planeta, as informações que nos chegam por uma quantidade de redes mundiais de captadores, os modelos informatizados que integram esses dados, as simulações que nos deixam adivinhar as reações da Terra, sua história, a inimaginável intimidade de sua vida de uma infinita lentidão, opaca, enorme e dispersa, tudo isso faz aos poucos surgir, ou ressurgir, no espírito dos humanos a figura arcaica de Gaia. Face à antiquíssima deusa, ainda misturada à sua substância, pode-se agora quase ouvir ou ver pensar, crescendo a nossos olhos, rápido, crepitante, o grande hipercórtex de sua filha, Antropia.

Tanto quanto a pesquisa utilitária de informação, é essa sensação vertiginosa de mergulhar no cérebro comum e dele participar que explica o entusiasmo pela Internet. Navegar no ciberespaço equivale a passear um olhar consciente sobre a interioridade caótica, o ronronar incansável, as banais futilidades e as fulgurações planetárias da inteligência coletiva. O acesso ao processo intelectual do todo informa o de cada parte, indivíduo ou grupo, e alimenta em troca o do conjunto. Passa-se então da inteligência coletiva ao coletivo inteligente.

Apesar de numerosos aspectos negativos, e em particular o risco de deixar no acostamento da autoestrada uma parte desqualificada da humanidade, o ciberespaço manifesta propriedades novas, que fazem dele um precioso instrumento de coordenação não hierárquica, de sinergização rápida das inteligências, de troca de conhecimentos, de navegação nos saberes e de autocriação deliberada de coletivos inteligentes.

Proponho, juntamente com outros, aproveitar esse momento raro em que se anuncia uma cultura nova para orientar deliberadamente a evolução em curso. Raciocinar em termos de im-

A virtualização da inteligência e a constituição do sujeito

pacto é condenar-se a padecer. De novo, a técnica propõe, mas o homem dispõe. Cessemos de demonizar o virtual (como se fosse o contrário do real!). A escolha não é entre a nostalgia de um real datado e um virtual ameaçador ou excitante, mas entre *diferentes concepções do virtual*. A alternativa é simples. Ou o ciberespaço reproduzirá o midiático, o espetacular, o consumo de informação mercantil e a exclusão numa escala ainda mais gigantesca que hoje. Esta é, a grosso modo, a tendência natural das "supervias da informação" ou da "televisão interativa". Ou acompanhamos as tendências mais positivas da evolução em curso e criamos um projeto de civilização centrado sobre os coletivos inteligentes: recriação do vínculo social mediante trocas de saber, reconhecimento, escuta e valorização das singularidades, democracia mais direta, mais participativa, enriquecimento das vidas individuais, invenção de formas novas de cooperação aberta para resolver os terríveis problemas que a humanidade deve enfrentar, disposição das infraestruturas informáticas e culturais da inteligência coletiva.

8.
A VIRTUALIZAÇÃO DA INTELIGÊNCIA
E A CONSTITUIÇÃO DO OBJETO

O PROBLEMA DA INTELIGÊNCIA COLETIVA

O problema da inteligência coletiva é simples de enunciar mas difícil de resolver. Grupos humanos podem ser coletivamente mais inteligentes, mais instruídos, mais sábios, mais imaginativos que as pessoas que os compõem? Não apenas a longo prazo, na duração da história técnica, das instituições e da cultura, mas aqui e agora, no curso dos acontecimentos e dos atos cotidianos. Como coordenar as inteligências para que se multipliquem umas através das outras ao invés de se anularem? Há meio de induzir uma valorização recíproca, uma exaltação mútua das capacidades mentais dos indivíduos em vez de submetê-las a uma norma ou rebaixá-las ao menor denominador comum? Poder-se--ia interpretar toda a história das formas institucionais, das linguagens e das tecnologias cognitivas como tentativas mais ou menos felizes de resolver esses problemas.

Pois se as pessoas são todas inteligentes à sua maneira, os grupos decepcionam com frequência. Sabe-se que, numa *multidão*, as inteligências das pessoas, longe de se adicionar, tendem a se dividir. A *burocracia* e as formas de organização autoritárias asseguram uma certa coordenação, mas às custas da supressão das iniciativas e do aplainamento das singularidades.

Sem dúvida, boas regras de organização e de escuta mútua são suficientes para a valorização recíproca das inteligências nos pequenos grupos. Mas acima de uma ordem de grandeza da dezena de milhares de pessoas, a planificação hierárquica e a gestão do humano por categorias de massa pareceram por muito tempo inevitáveis. Traço aqui a hipótese, em concordância com um número crescente de atores políticos, econômicos e artísticos, que as técnicas de comunicação contemporâneas poderiam modificar a antiquíssima distribuição de cartas antropológica que condenava as grandes coletividades a formas de organização políticas muito afastadas dos coletivos inteligentes.

Por que o "mundo da cultura", no sentido burguês do termo, ou seja, os grupos humanos que produziram e desfrutaram a ciência, a filosofia, a literatura e as belas-artes, exerceu por tanto tempo tal atrativo? Provavelmente porque se aproximou, à sua maneira elitista e imperfeita, de um ideal da inteligência coletiva. Eis algumas das normas sociais, valores e regras de comportamento que regeriam (idealmente) o mundo da cultura: avaliação permanente das obras pelos pares e pelo público, reinterpretação constante da herança, inaceitabilidade do argumento de autoridade, incitação a enriquecer o patrimônio comum, cooperação competitiva, educação contínua do gosto e do senso crítico, valorização do julgamento pessoal, preocupação com a variedade, encorajamento à imaginação, à inovação, à pesquisa livre. Teremos começado a resolver numerosos problemas cruciais do mundo contemporâneo quando passarmos a pôr em prática um funcionamento "culto" fora dos domínios e dos meios restritos onde este geralmente se instala. Um dos melhores sinais da proximidade entre esse mundo da cultura e os coletivos inteligentes é seu compromisso (de princípio) de colocar o poder entre parênteses. O ideal da inteligência coletiva não é evidentemente *difundir* a ciência e as artes no conjunto da sociedade, desqualificando ao mesmo tempo outros tipos de conhecimento ou de sensibilidade. É reconhecer que a diversidade das atividades humanas, sem nenhuma exclusão, pode e deve ser considerada, tratada, vivida como "cultura", no sentido que acabamos de evocar. Em consequência, cada ser humano poderia, deveria ser respeitado como um artista ou um pesquisador numa república dos espíritos.

Tal programa soa utópico. No entanto, a chave da força econômica, política ou mesmo militar reside hoje precisamente na capacidade de produzir coletivos inteligentes. Não nego a existência das relações de poder ou de dominação, tento apenas designá-las pelo que são: obstáculos à força. Pois uma sociedade inteligente em toda parte será sempre mais eficiente que uma sociedade inteligentemente dirigida. O problema não é decidir entre ser a favor ou contra a inteligência coletiva, mas escolher entre suas diferentes formas. Emergente ou imposta de cima? Respeitosa das singularidades ou homogeneizante? Inteligência que valoriza e põe em sinergia a diversidade dos recursos e das competências ou que os desqualifica em nome de uma racionalidade ou de um modelo dominante?

No estádio

Como, portanto, passar da inteligência coletiva, que é inerente à condição de humanidade, aos coletivos inteligentes, que otimizam deliberadamente seus recursos intelectuais aqui e agora? Como fazer sociedade de maneira flexível, intensa e inventiva, sem no entanto fundar o coletivo sobre o ódio ao estrangeiro, nem sobre um mecanismo vitimizador, nem sobre a relação com uma revelação transcendente ou com um chefe providencial? Como pôr em sinfonia os atos e os recursos das pessoas sem submetê-las a uma exterioridade alienante? Tal regime não se decreta, e certamente requer mais do que boa vontade.

Michel Serres nos ensinou a ler nos estádios alguns teoremas de antropologia fundamental. Seja dada uma partida de futebol ou de rúgbi. Escutemos primeiramente o som que sobe das arquibancadas. Os torcedores da mesma equipe gritam quase todos juntos as mesmas coisas no mesmo momento. Os atos dos indivíduos mal se distinguem, não chegam a se entrelaçar para fazer história ou memória, não se entrosam em nenhuma bifurcação irreversível. O indivíduo é afogado na massa dos torcedores, no ruído de fundo da multidão. Ora, a inteligência dessa massa (capacidade de aprendizagem, de imaginação, de raciocínio) é notoriamente pequena, quer se manifeste no estádio ou na saída.

A virtualização da inteligência e a constituição do objeto   121

Vejamos agora o que se passa no campo. Cada jogador efetua ações nitidamente distintas das dos outros. Todavia, todas as ações visam a coordenação, tentam se responder, querem fazer sentido umas em relação às outras. Os atos dos jogadores, contrariamente aos dos torcedores, intervêm numa histórica coletiva, orientam, cada um diferentemente, o curso de uma partida ainda não decidida. As equipes empregam estratégias, improvisam, arriscam. Cada um dos jogadores deve estar atento não apenas ao que fazem seus adversários mas igualmente ao que se trama em seu próprio campo, para que os movimentos efetuados por seus companheiros não tenham sido tentados em vão. O jogo se "constrói".

Os espectadores não podem agir sobre o espetáculo que os reúne, todos têm a mesma função face ao ponto alto, ou ao ponto baixo, de qualquer maneira fora de alcance, que é o campo. O elo (o espetáculo do jogo) é transcendente em relação às pessoas que compõem o coletivo. Nas arquibancadas, fazer sociedade é ser a favor e contra, torcer por um time, aplaudir os seus, vaiar os outros.

No campo, ao contrário, não é suficiente detestar o time adversário. É preciso estudá-lo, adivinhá-lo, prevê-lo, compreendê-lo. Sobretudo é preciso coordenar-se com a própria equipe em tempo real, reagir de maneira fina e rápida "como um só homem", embora sejam vários. Ora, essa sinergização espontânea das competências e das ações só é possível graças à bola. No campo, a mediação social abandona sua transcendência. A ligação entre os indivíduos cessa de estar fora de alcance, ela se estabelece, ao contrário, entre as mãos (ou os pés) de todos. A animada unidade dos jogadores se organiza em torno de um objeto-ligação imanente. Passando pelo desvio de um ser que circula, de um centro móvel que designa sucessivamente cada um como pivô transitório do grupo, o grupo inteligente dos jogadores é em si sua própria referência. Os espectadores têm necessidade de jogadores, as equipes não têm necessidade de espectadores. Semissagaz, um provérbio chinês diz que o dedo mostra a lua e que o idiota olha o dedo. Sagazes, os jogadores fazem da bola ao mesmo tempo um indicador que gira entre os sujeitos individuais, um vetor que permite a cada um designar cada um, e o objeto principal, a ligação dinâmica do sujeito coletivo. Consideraremos a bola como um protótipo do objeto-ligação, do objeto catalisador de inteligência coletiva. Faço a hipótese de que tal objeto, que chamarei doravante e por convenção simplesmente *o objeto*, é desconhecido dos animais.

PRESAS, TERRITÓRIOS, CHEFES E SUJEITOS

Os mamíferos superiores, e mais particularmente os primatas sociais de que descendemos, não têm objetos. Claro que conhecem as *presas*, como todos os animais. Num certo sentido, a presa é um proto-objeto. A caça pode dar ensejo à cooperação. A presa capturada suscita rivalidades ou combates. Assim ela é, de fato, um operador primitivo de socialização. Mas a presa destina-se a ser devorada, incorporada, reabsorvida finalmente num sujeito. Acaso vemos os jogadores lacerarem, dividirem entre si e depois comerem a bola que pegaram?

Os animais conhecem também relações fortes com os *territórios*, cada sociedade defendendo o seu contra a invasão dos outros. A sociedade animal define sua identidade sobretudo por sua relação com um território particular. Os cães, os gatos e numerosos outros animais marcam seu território com seu odor corporal. As aves o ocupam por meio de seu canto. Por que o território ainda não é um objeto? Porque ele funciona no modo da apropriação ou da identificação exclusiva. Você jamais verá um jogador plantando sua bandeira sobre uma bola e pretendendo sua posse exclusiva. O verdadeiro fundador da sociedade civil foi aquele que renunciou a encerrar uma porção do universo físico e declarou pela primeira vez: isto é um objeto. Para desempenhar seu papel antropológico, o objeto deve passar de mão em mão, de sujeito a sujeito, e subtrair-se à apropriação territorial, à identificação a um nome, à exclusividade ou à exclusão.

A virtualização da inteligência e a constituição do objeto

Os primatas sociais, enfim, conhecem também as relações de *dominância*, que desempenham um papel essencial na regulação de suas interações. Notemos aliás que as relações estáveis de dominação, com gradações de postos e hierarquias sutis, só existem entre os vertebrados. Não as encontramos entre os insetos sociais que, em troca, conhecem a polietia (comportamentos muito típicos segundo as castas) e a polimorfia (diferenças anatômicas em função da divisão social do trabalho). As relações sociais hierárquicas, que escapam à programação genética, se decidem com frequência através de combates abertos. Elas devem certamente ser associadas com as aptidões à autonomia individual mais marcada dos mamíferos em relação aos insetos. Os etólogos as consideram igualmente como um modo de regulação da agressividade entre membros do mesmo grupo social, um tipo de agressividade que é muito raro entre os insetos. O indivíduo dominante exerce uma função de unificação e de coordenação da sociedade ao inibir a agressividade dos indivíduos entre si, ao polarizar a atenção dos outros membros, ao impor as grandes orientações (caça, migração). De novo, nem o sujeito dominante, nem o sujeito submisso são objetos. No entanto, a bola tem alguma afinidade com a relação de dominância, por ser ao mesmo tempo submissa e centro da atenção. Num certo sentido, ela *substitui* o chefe, o subordinado ou a vítima, mas virtualizando-os. Longe de fixar uma relação estável de dominância, a bola mantém, ao contrário, uma relação cooperativa (na mesma equipe) e competitiva (entre as equipes) igualitária e sempre aberta. Claro que o jogo sagra campeões e deixa vencidos, mas esses estatutos duram apenas entre as partidas. Nenhuma hierarquia instituída pesa durante o jogo: a circulação da bola as suspende.

A relação com o objeto resulta de uma *virtualização* das relações de predação, de dominância e de ocupação exclusiva. O dedo designa a vítima, mostra o sujeito dominante, indica a presa ou circunscreve o território. O idiota olha o dedo e inventa o objeto.

Ferramentas, narrativas, cadáveres

A bola ilustra maravilhosamente o conceito de objeto. Ela é típica de sua função de hominização, já que uma aptidão especial para o jogo é uma das principais características de nossa espécie. Nenhum animal joga coletivamente com uma bola ou com algo análogo. Os jogos animais são na maioria das vezes simulações de combate, de predação, de dominação ou de relações sexuais que põem os corpos diretamente em contato sem passar por um intermediário objetivo. Mas há evidentemente outros tipos de objetos, que correspondem em maior ou menor grau ao tipo ideal tão bem representado pela bola. Citemos em particular: a ferramenta, o material ou o artefato que passam de mão em mão durante os trabalhos coletivos; as narrativas imemoriais que se transmitem e são transformadas de boca a ouvido e de geração a geração, cada elo da corrente escutando e contando por sua vez; o cadáver durante e após os ritos funerários.

Reconhece-se o objeto através de seu poder de catálise das relações sociais e de indução da inteligência coletiva. A inteligência técnica e a cooperação no que diz respeito às ferramentas; a inventividade coletiva dos mitos, das lendas e do folclore no que diz respeito à circulação das narrativas. Esses dois casos evidentes não requerem comentário particular. O exemplo do cadáver é menos imediato. O despojo mortal remete ao ritual e ao que agora chamamos de religião, formas arcaicas mas poderosas da inteligência coletiva. Durante os funerais, o grupo gira em torno de seu morto, cerca-o, lava-o, veste-o, chora-o, reconstrói-o através dos panegíricos, toca-o por meio de flores ou punhados de terra interpostos, enterra-o ou queima-o. Mesmo impuro ou intocável, o morto ritualizado, objetivado, permanece um operador de socialização. Ao contrário, se o cadáver não é levado a um jogo fúnebre que faz dele o objeto de um coletivo, se é tratado como uma simples coisa, se a carne em decomposição não é virtualizada como corpo do morto, isto é o sinal certo da desintegração de um grupo, de sua desumanização. É tentador ver na relação com o cadáver a virtualização original, a transição do sujeito da dominância ao objeto: corpo mumificado do chefe ou crânio do vencido convertido em troféu. A cabeça reduzida dos jivaros, que desempenha efetivamente um papel complexo de refundação do coletivo, seria uma espécie de precursor monstruoso da bola?

O DINHEIRO, O CAPITAL

A moeda no regime capitalista constitui certamente um dos objetos mais eficazes. Se cada um guardasse seu dinheiro num cofre pessoal, o jogo econômico contemporâneo se desmantelaria brusca e completamente. Em troca, se cada proprietário conservar sua terra, nenhuma consequência catastrófica resultaria para a agricultura. Fluida, partilhável, anônima, a moeda é a antítese do território. É o que exprime de maneira figúrada o famoso provérbio segundo o qual o dinheiro não tem cheiro. Nenhum indivíduo, por mais malcheiroso que seja, pode marcar o dinheiro com sua identidade ou com seus atos. A moeda não existe enquanto tal e não tem função econômica positiva a não ser por sua circulação. Ela é o marcador, o vetor e o regulador das relações econômicas.

O dinheiro não é a riqueza, mas sua virtualidade. Por paradoxal que isto possa parecer, ele é inapropriável, ou melhor, por sua incessante circulação, transforma o público em privado e o privado em público, fazendo cada um, e cada um diferentemente, participar da inteligência coletiva do mercado capitalista. O dinheiro pode ser evidentemente uma alavanca para o poder e a dominação, mas catalisa igualmente forças sociais desterritorializantes que não respeitam nenhuma hierarquia instituída. Através das fronteiras, apesar dos antagonismos, o dinheiro contribui, para o melhor e para o pior, para coordenar, para regular sem autoridade central inumeráveis atividades. Arrastando atrás de si os meios de transporte e de comunicação, é de fato o dinheiro do mercado capitalista, nas mãos de bilhões de seres humanos, que tece atualmente a sociedade mundial. Inútil insistir neste ponto: se há vagos esboços de ferramentas, de linguagens ou de ritos funerários em certas sociedades animais, nada se assemelha nelas à moeda e menos ainda ao capital.

A COMUNIDADE CIENTÍFICA E SEUS OBJETOS

A comunidade científica é um outro exemplo de coletivo inteligente unido pela circulação de objetos. Esses objetos são, em princípio, "estudados por eles mesmos", de um modo desinteressado: isto equivale a dizer que não são nem territórios, nem presas, nem sujeitos submissos ou reverenciados. Tais objetos emergem de uma dinâmica de inteligência coletiva que *virtualiza* certas manifestações particulares (frutos da observação, da experiência, da simulação) para fazer existir problemas consistentes: o elétron, o buraco negro, determinado vírus...

A circulação é constitutiva ao mesmo tempo do objeto e da comunidade: um fenômeno evidenciado num laboratório só se torna "científico" se for reproduzido (ou, no limite, reprodutível) em outros laboratórios. Um laboratório que não acolhe mais — e não remete mais aos outros centros de pesquisa — os instrumentos, os protocolos experimentais e finalmente os "objetos" da comunidade (astros, partículas elementares, moléculas, fenômenos físicos ou biológicos, simulações) não é mais um membro ativo desta. A inventividade científica consiste em fazer surgir verdadeiros objetos, isto é, vetores de comunidades inteligentes, capazes de interessar outros grupos que irão colocar em circulação, enriquecer, transformar e até mesmo fazer proliferar o objeto inicial, transformando assim sua identidade na comunidade. Como no caso do futebol, o papel de cada um é singular e deve sê-lo (um artigo científico tem que ser original), o jogo é ao mesmo tempo cooperativo e competitivo, as ações se "constroem" umas sobre as outras, contribuindo para instaurar uma historicidade, uma irreversibilidade complexa. As disciplinas fixam em territórios a dialética aberta dos objetos e dos coletivos científicos.

Certamente o jogo científico está submetido a coerções econômicas, sociais, políticas, particularmente sob o aspecto dos "meios" necessários e dos "apoios" antecipados ou efetivos. Poder-se-ia dizer o mesmo do futebol profissional. Mas se a tecnociência se reduzisse a coerções, a relações de força e a jogos de alianças, mesmo no meio híbrido dos coletivos homens-coisas, sua criatividade singular, assim como sua influência sobre o mundo, falhariam. Seria um pouco como se resolvêssemos explicar o amor apenas com as concepções da marquesa de Merteuil [personagem de *As ligações perigosas*, de Laclos]. Criticamos aqui menos as teorias da nova escola de antropologia das ciências e das técnicas (Latour, 1989, 1993) do que as caricaturas às vezes geradas por algumas de suas formulações.

Nem simples relação entre humanos, nem predação ou apropriação das coisas, o empreendimento científico põe em loop a constituição recíproca de coletivos inteligentes e de objetos de conhecimento. Longe de preexistir a suas "descobertas", ou de constituir referentes transcendentes para verdades absolutas, os objetos da ciência são imanentes aos procedimentos técnicos que os constroem, aos coletivos que os fazem circular. Mas nem por isso são arbitrários ou puramente relativos. Pois eles se arriscam em processos de seleção que os qualificam e que, por sua vez, eles julgam. De todas as proposições de objetos que são emitidas, muito poucas são finalmente capazes de impor a pertinência das provas que lhes permitirão "ser objeto" (Stengers, 1993).

O CIBERESPAÇO COMO OBJETO

A extensão do ciberespaço representa o último dos grandes surgimentos de objetos indutores de inteligência coletiva. O que torna a Internet tão interessante? Dizer que ela é "anarquista" é um modo grosseiro e falso de apresentar as coisas. Trata-se de um objeto comum, dinâmico, construído, ou pelo menos alimentado, por todos os que o utilizam. Ele certamente adquiriu esse caráter de não-separação por ter sido fabricado, ampliado, melhorado pelos informatas que a princípio eram seus principais usuários. Ele faz uma ligação por ser ao mesmo tempo o objeto comum de seus produtores e de seus exploradores (Huitéma, 1995).

O ciberespaço oferece objetos que rolam entre os grupos, memórias compartilhadas, hipertextos comunitários para a constituição de coletivos inteligentes. Deve-se distingui-lo, em primeiro lugar, da televisão, que não cessa de designar poderosos ou vítimas a massas de indivíduos separados e impotentes. Convém sobretudo não confundi-lo, a seguir, com seu duplo perverso, a supervia eletrônica, que põe em cena um território (as redes físicas, os serviços com pedágio) em vez e no lugar de objetos comuns. A supervia eletrônica degrada em coisa apropriável o que era um objeto circulante. Se o ciberespaço resulta de uma virtualização dos computadores, a supervia eletrônica reifica esse virtual. A aspereza dos debates em torno do caráter mercantil ou não mercantil da Internet tem profundas implicações antropológicas. Um dos orgulhos da comunidade que fez crescer a Net é ter inventado, ao mesmo tempo que um novo objeto, uma maneira inédita de fazer sociedade inteligentemente. A questão não é portanto banir o comércio da Internet (por que proibi-lo?), mas preservar uma maneira original de constituir coletivos inteligentes, diferente daquela que o mercado capitalista induz. Os cibernautas não têm necessidade de dinheiro porque sua comunidade já dispõe de um objeto constitutivo, virtual, desterritorializado, produtor de vínculo e cognitivo por sua própria natureza. Mas, por outro lado, o ciberespaço é perfeitamente compatível com o dinheiro ou outros mediadores imanentes, ele inclusive faz crescer consideravelmente a força virtualizante e a velocidade de circulação dos objetos monetários e científicos. Ao acolher nas ligações circulantes coletivos inteligentes, a Net é um acelerador de objetos,

A virtualização da inteligência e a constituição do objeto

um virtualizador de virtuais. No que se refere a isto, provavelmente ainda não se viu nada igual.

Graças aos produtos da atividade econômica e científica, e apoiando-se nos meios do ciberespaço, as relações de predação, de apropriação e de poder ganham novo impulso, numa escala ainda maior. De todo o reino animal, é o homem que pratica em mais alto grau o imperialismo territorial, a caça impiedosa e a implacável dominação. Mas é também no homem que esses tipos de relacionamento são momentaneamente suspensos graças à relação com o objeto. Certamente a tecnociência, o dinheiro e o ciberespaço fazem do homem um caçador, um proprietário, um dominador mais aterrorizante que nunca. Mas os grandes objetos contemporâneos só lhe conferem esses poderes forçando-o a submeter-se à experiência propriamente humana da renúncia à presa, da deserção do poder e do abandono da propriedade. A experiência da virtualização.

O QUE É UM OBJETO?

É tempo agora de esclarecer os caracteres gerais do objeto antropológico, objeto-ligação ou mediador de inteligência coletiva. Esse objeto deve ser o mesmo para todos. Mas, ao mesmo tempo, é diferente para cada um, no sentido em que cada um se encontra, em relação a ele, numa posição diferente. O objeto marca ou traça as relações mantidas pelos indivíduos uns frente aos outros. Ele circula, física ou metaforicamente, entre os membros do grupo. Encontra-se, simultânea ou alternadamente, nas mãos de todos. Por esse motivo, cada um pode inscrever nele sua ação, sua contribuição, seu impulso ou sua energia. O objeto permite não apenas levar o todo até o indivíduo mas também implicar o indivíduo no todo. Contido e controlado pelos grupos que constitui, o objeto permanece no entanto exterior, "objetivo", uma vez que não é membro do grupo como um outro sujeito. Ele coloca em funcionamento, portanto, uma espécie de transcendência giratória, pondo, de maneira alternada e passageira, cada localidade que ele contata numa posição de agente central. Essa transcendência distribuída, esse centro deslocado de um lugar a outro, constitui certamente uma das figuras maiores da imanência. Finalmente, o objeto só se mantém ao ser mantido por todos e o grupo só se constitui ao fazer circular o objeto.

O objeto sustenta o virtual: desterritorializado, operador da passagem recíproca do privado ao público ou do local ao global, não destruído por seu uso, não exclusivo, ele traça a situação, transporta o campo problemático, o nó de tensões ou a paisagem psíquica do grupo. Essa virtualidade em um suporte objetivo atualiza-se normalmente em acontecimentos, em processos sociais, em atos ou afetos da inteligência coletiva (passes da bola, enunciações de uma narrativa, compras ou vendas, novas experiências, ligações acrescentadas à Web). Mas o objeto, em vez de conduzir atos, pode também degradar-se em coisa, em sujeito ou em substância, reificar-se em presa, em território. Conforme a função que lhe fazemos desempenhar, a mesma entidade pode ser coisa ou objeto.

O funcionamento de um objeto como mediador de inteligência coletiva implica sempre um contrato, uma regra do jogo, uma convenção. Mas convém sublinhar que, por um lado, a maior parte dos contratos não dizem respeito à circulação dos objetos e que, por outro, um contrato (respectivamente: uma regra, uma convenção, uma lei...) jamais é suficiente por si só para fazer emergir inteligência coletiva. O acontecimento raro não é a imposição de um contrato ou o estabelecimento de uma regra, mas a eclosão de um objeto. A título de exemplo, não há evidentemente objetos científicos sem convenções nem regras de método, mas é muito mais fácil proclamar receitas epistemológicas que fazer uma descoberta!

Poder-se-ia contar a história da humanidade, a começar por seu nascimento, como uma sucessão de aparecimentos de objetos, cada um deles indissociável de uma forma particular de dinâmica social. Então se veria que todo novo tipo de objeto induz um

A virtualização da inteligência e a constituição do objeto

estilo particular de inteligência coletiva e que toda mudança social consequente implica uma invenção de objeto. Na duração antropológica, os coletivos e seus objetos são criados pelo mesmo movimento. Dimensionada pela circulação e o porte de seus objetos (os do ciberespaço, da economia e da tecnociência), e única, nesse caso, em todo o reino animal, a espécie humana tende a constituir uma só sociedade. Não tendo os coletivos senão a inteligência de seus objetos, a humanidade deverá aperfeiçoar os seus, e até mesmo inventar novos a fim de enfrentar a nova escala dos problemas. Esses objetos-mundo por vir, vetores de inteligência coletiva, deverão tornar sensível a cada indivíduo os efeitos coletivos de suas ações. Capazes de trazer à vida a imensidão junto ao indivíduo, eles deverão sobretudo implicar cada um, levar em conta cada localidade singular na intotalizável dinâmica do conjunto. A objetividade na escala do mundo só surgirá se for mantida por todos, se circular entre as nações e fizer a humanidade crescer em cultura.

A terra meteorológica, a terra dos tremores, a terra dos elefantes e das baleias, a terra do Amazonas e do Ártico, a terra sobrevoada pelos satélites, a terra enorme e pacífica, a Terra é azul como uma bola.

O OBJETO, O HUMANO

Explicamos anteriormente que a humanidade havia se constituído ao virtualizar a violência pelo contrato, o aqui e agora pela linguagem e suas funções orgânicas pela técnica. Ora, o objeto, transversal, vem completar e unificar as três virtualizações da relação com os seres, da relação com os signos e da relação com as coisas.

Podemos acrescentar agora que a virtualização da violência não passa apenas pelo contrato mas também, e sobretudo, pelo objeto, que induz ligações sociais não violentas porque escapam à predação, à apropriação exclusiva e à dominância.

Por outro lado, a virtualização do aqui e agora operada pela linguagem estende, como vimos, o tempo e o espaço para além da imediatez sensorial. Mas esse processo de virtualização só se completa com a construção do objeto, um objeto independente das percepções e dos atos do sujeito individual, um objeto cuja imagem sensível, cujo manejo, cujo efeito causal ou cujo conceito possa ser compartilhado por outros sujeitos. O mundo objetivo que emerge na linguagem ultrapassa amplamente qualquer mundo material que fosse povoado apenas por coisas. Tal é a questão da linguagem: a existência de um mundo objetivo que, na mesma operação, liga os indivíduos e constitui os sujeitos.

Enfim, a técnica virtualiza a ação e as funções orgânicas. Ora, a ferramenta, o artefato, não são apenas coisas eficazes. Os objetos técnicos passam de mão em mão, de corpo a corpo, como testemunhas. Eles induzem usos comuns, tornam-se vetores de competências, mensageiros de memória coletiva, catalisadores de cooperação. Desde o primeiro biface até os aeroportos e as redes digitais, da cabana original às metrópoles sulcadas por vias expressas e plantadas com arranha-céus, objetos técnicos e artefatos são a cola que mantém os homens juntos e implica o mundo físico ao mais íntimo de sua subjetividade.

Assim, o objeto atravessa as três virtualizações fundamentais da antropogênese, ele é constitutivo do humano como sujeito social, sujeito cognitivo e sujeito prático. Ele entrelaça e unifica as subjetividades técnica, da linguagem e relacional.

Se você não é um animal, se sua alma é mais virtual, mais separada da inércia que a de um macaco ou de um bisão, certamente é porque ela pode atingir a objetividade. Nossa subjetividade se abre ao jogo dos objetos comuns que tecem num mesmo gesto simétrico e complicado a inteligência individual e a inteligência coletiva, como o anverso e o reverso do mesmo tecido, bordando em cada face a marca indelével e flagrante do outro.

9.
O QUADRÍVIO ONTOLÓGICO:
A VIRTUALIZAÇÃO,
UMA TRANSFORMAÇÃO ENTRE OUTRAS

Chegou o momento de recapitular nossas descobertas. A virtualização, ou passagem à problemática, não é de modo algum um desaparecimento no ilusório, nem uma desmaterialização. Convém antes assimilá-la a uma "dessubstanciação", como pudemos verificar nos exemplos do corpo-chama, do texto-fluxo e da economia dos acontecimentos. Essa dessubstanciação pode ser declinada em mutações associadas: a desterritorialização, o efeito Moebius — que organiza o loop sem fim do interior e do exterior —, a colocação em comum de elementos privados e a integração subjetiva inversa de itens públicos. Esse fenômeno de passagem ao coletivo e de retorno do comum ao individual foi estudado em detalhe nos dois capítulos precedentes sobre a virtualização da inteligência.

Chamemos *subjetivação* a implicação de dispositivos tecnológicos, semióticos e sociais no funcionamento psíquico e somático individual. Simetricamente, a *objetivação* será definida como a implicação mútua de atos subjetivos ao longo de um processo de construção de um mundo comum. Subjetivação e objetivação são assim dois movimentos complementares da virtualização. Com efeito, quando consideramos o que eles *fazem*, nem o sujeito nem o objeto são substâncias, mas nós flutuantes de acontecimentos que se interfaceiam e se envolvem reciprocamente.

Embora vivamos hoje sua aceleração, a virtualização não é um fenômeno recente. Como tentei mostrar ao analisar os desenvolvimentos da linguagem, da técnica e das instituições sociais complexas, a espécie humana se construiu na e pela virtualização. O processo de virtualização pode ser analisado em operações:

— "gramaticais", recorte de elementos virtuais, sequenciamentos, dupla articulação;

— "dialéticas", substituições, colocações em correspondência, processos rizomáticos de desdobramento;

— e "retóricas", emergência de mundos autônomos, criação de agenciamentos de signos, de coisas e de indivíduos independentemente de qualquer referência a uma "realidade" prévia e de qualquer utilidade. Através das operações retóricas, a virtualização desemboca na invenção de novas ideias ou formas, na composição e recomposição dessas ideias, no surgimento de "maneiras" originais, no crescimento de máquinas com memória, no desenvolvimento de sistemas de ação.

Este livro é consagrado à virtualização, ou seja, à contracorrente da atualização, aos diversos movimentos e processos que conduzem ao virtual. Todavia, o real, o possível, o atual e o virtual são complementares e possuem uma dignidade ontológica equivalente. Nosso propósito não é certamente jogar o virtual contra os outros modos de ser. Indissociáveis, eles formam juntos uma espécie de dialética de quatro polos, que vamos agora examinar. Antes de começar, gostaria no entanto de justificar o título deste capítulo. O termo quadrívio, ou via quádrupla, foi forjado por Boécio no século VI d.C. para designar os estudos científicos que deviam seguir o trívio (gramática, dialética e retórica), a saber: a aritmética, a geometria, a música e a astronomia. Esse programa de estudo, *trívio* e *quadrívio* — os sete pilares da sabedoria —, foi seguido pelas "faculdades das artes" da Idade Média europeia durante séculos. Após esse desvio filológico, voltemos à nossa questão das relações entre possível, real, atual e virtual.

Os quatro modos de ser

Possível e virtual têm evidentemente um traço comum que explica sua confusão tão frequente: ambos são latentes, não ma-

136   O que é o virtual?

nifestos. Anunciam antes um futuro do que oferecem uma presença. O real e o atual, em troca, são um e outro patentes e manifestos. Desdenhando as promessas, estão presentes e claramente presentes. De que maneira, então, compreender a clivagem que separa o possível e o real, de um lado, e o virtual e o atual, de outro?

Na esteira de Gilles Deleuze, eu escrevi no primeiro capítulo que o real *assemelha-se* ao possível enquanto o atual *responde* ao virtual. Problemático por essência, o virtual é como uma situação subjetiva, uma configuração dinâmica de tendências, de forças, de finalidades e de coerções que uma atualização resolve. A atualização é um *acontecimento*, no sentido forte da palavra. Efetua-se um ato que não estava predefinido em parte alguma e que modifica por sua vez a configuração dinâmica na qual ele adquire uma significação. A articulação do virtual e do atual anima a própria dialética do acontecimento, do processo, *do ser como criação*.

Em troca, a realização seleciona entre possíveis predeterminados, já definidos. Poder-se-ia dizer que o possível é uma forma à qual uma realização confere uma *matéria*. Essa articulação da *forma* e da matéria caracteriza um polo da *substância*, oposto ao polo do acontecimento.

Obtém-se assim um quadro simples de quatro posições em que as duas colunas do latente e do manifesto cruzam-se com as duas linhas da substância e do acontecimento. Possível, real, virtual e atual assumem naturalmente um lugar em suas respectivas casas. Cada um deles apresenta uma maneira de ser diferente.

O real, a substância, a coisa, *subsiste* ou resiste. O possível contém formas não manifestas, ainda adormecidas: ocultas no interior, essas determinações *insistem*. O virtual, como foi suficientemente desenvolvido neste livro, não está aí, sua essência está na saída: ele *existe*. Enfim, manifestação de um acontecimento, o atual *acontece*, sua operação é a *ocorrência*.

O quadrívio ontológico   137

	Latente	Manifesto
Substância	Possível (insiste)	Real (subsiste)
Acontecimento	Virtual (existe)	Atual (acontece)

As quatro passagens

Ora, essas maneiras de ser passam constantemente de uma para a outra, donde a definição de quatro movimentos ou *transformações* principais, que correspondem cada uma a formas de causalidade e de temporalidade diferentes. Vou agora sugerir uma analogia entre o quadrívio ontológico e as quatro causas de Aristóteles. Brevemente ilustrados no caso de uma estátua, eis quais eram os tipos de causalidade distinguidos pelo Estagirita. A causa material designa o mármore; a causa formal se une aos contornos do *kouros* [guerreiro nobre] que dormem na pedra ou no espírito do escultor antes que resplandeçam sob o sol de Delos; o próprio escultor, agente da ação, é a causa eficiente; enfim, a causa final da estátua remete a seu uso, à sua utilidade: o culto de Apolo, por exemplo.

A *realização*, como já sugerimos, pode ser assimilada à *causalidade material*: ela nutre de matéria uma forma preexistente. Paralelamente, a realização encarna uma temporalidade linear, mecânica, determinista. Dissipando irreversivelmente a energia utilizável ou os recursos disponíveis, a realização segue a encosta do segundo princípio da termodinâmica, segundo o qual o crescimento da entropia num sistema fechado é inevitável. A temporalidade realizante consome, faz cair o potencial.

Lançando-se do real ao possível, a *potencialização*, ou *causa formal*, pode ser assimilada a uma subida a contracorrente da entropia. A potencialização produz ordem e informação, reconstitui os recursos e reservas energéticos. Pode-se comparar sua operação à do demônio imaginado pelo físico James Clerk Maxwell, que devia ser capaz de mudar a direção da lei da entropia crescente. Postado junto a uma janelinha que separa dois compartimentos de um recipiente fechado cheios de um gás igualmente morno, esse minúsculo demônio imaginário só deixa passar para um dos compartimentos as moléculas mais rápidas. Desta maneira, quase sem dispêndio de energia, obter-se-ia ao cabo de certo tempo um compartimento cheio de gás quente e outro de gás frio. A diferença assim produzida é ela mesma uma fonte de energia potencial. A desordem ou a mistura indiferenciada são combatidas pela capacidade de triagem ou de seleção fina do demônio e por um dispositivo que assegura a irreversibilidade das referidas operações (a janelinha). A potencialização faz mais ou menos o trabalho do demônio de Maxwell. Em escala molecular, pôr ordem ou reconstituir potenciais energéticos é a mesma coisa. O possível, ou diferença de potencial, é identicamente uma forma, uma estrutura ou uma reserva.

Realização e potencialização pertencem ambas à ordem da seleção: escolha molar entre os possíveis, para a realização. Triagem molecular e reconstituição de uma forma, para a potencialização. Oponho aqui essa ordem da seleção a outro registro de transformação completamente diferente, o da criação ou do devir, ao qual pertencem a atualização e a virtualização.

A atualização inventa uma solução ao problema colocado pelo virtual. Com isso, não se contenta em reconstituir recursos, nem em colocar uma forma à disposição de um mecanismo de realização. Não: a atualização *inventa uma forma*. Ela cria uma informação radicalmente nova. Colocamos a *causalidade eficiente* do lado da atualização porque o operário, o escultor, o demiurgo, sendo um ser vivo e pensante, jamais pode ser reduzido a um simples executante: ele interpreta, improvisa, resolve problemas. A temporalidade da atualização é a *dos processos*. Para além da descida da entropia (realização) e seu retorno a contracorrente (potencialização), o tempo criativo da atualização traça uma história, transcreve uma aventura do sentido constantemente reposta em jogo.

A virtualização, enfim, passa do ato — aqui e agora — ao problema, aos nós de coerções e de finalidades que inspiram os atos. Classificaremos, portanto, a *causalidade final*, a questão do porquê, do lado da virtualização. Na medida em que existem tantas temporalidades quantos problemas vitais, a virtualização move-se no tempo dos tempos. A virtualização sai do tempo para enriquecer a eternidade. Ela é fonte dos tempos, dos processos, das histórias, já que comanda, sem determiná-las, as atualizações. Criadora por excelência, a virtualização inventa questões, problemas, dispositivos geradores de atos, linhagens de processos, máquinas de devir.

Transformação	Definição	Ordem	Causalidade	Temporalidade
Realização	Eleição, queda de potencial	Seleção	Material	Mecanismo
Potencialização	Produção de recursos	Seleção	Formal	Trabalho
Atualização	Resolução de problemas	Criação	Eficiente	Processo
Virtualização	Invenção de problemas	Criação	Final	Eternidade

As quatro transformações são aqui distinguidas *conceitualmente*. Se devêssemos analisar, como às vezes foi feito ao longo deste livro, um fenômeno particular, descobriríamos uma mistura inextricável das quatro causas, dos quatro modos de ser, das quatro passagens de uma maneira de ser à outra. Se a virtualização for bloqueada, a alienação se instala, os fins não podem mais ser reinstituídos, nem a heterogênese cumprida: maquinações vivas, abertas, em devir, transformam-se de súbito em mecanismos mortos. Se for cortada a atualização, as ideias, os fins, os problemas tornam-se bruscamente estéreis, incapazes de resultar na ação inventiva. A inibição da potencialização conduz infalivelmente ao sufocamento, ao esgotamento, à extinção dos processos vivos. Se for impedida a realização, enfim, os processos perdem sua base, seu suporte, seu ponto de apoio, eles se desencarnam. Todas as transformações são necessárias e complementares umas das outras.

MISTURAS

Longe de constituir os termos de uma classificação exclusiva, a oposição possível/virtual nunca se encontra definitivamente resolvida e se recria a cada nova distinção. Por analogia, quando se corta um ímã em dois, não se obtém um ímã que repele e outro que atrai, mas dois pequenos ímãs completos, cada um tendo seu polo positivo e negativo. Por exemplo, uma bigorna será aproximada do polo do real (pois tem a ver com a substância ou com aquilo que "resiste"), ao passo que a frase "No ano 2010 todos os carros que circulam na cidade serão elétricos" (relacionada à ocorrência) será associada ao polo do atual. Mas posso, se desejar, decompor a frase em dois elementos: uma questão implícita ("Vamos realmente continuar a nos deixar envenenar desta maneira?") e a proposição que responde a essa questão ("Não, já que no ano 2010, etc."). A *questão* será dita virtualizante e a proposição antes potencializante, já que pode adquirir vários valores de verdade predeterminados. Prosseguindo o trabalho de fragmentação, pode-se ainda dividir a proposição no surgimento de uma *hipótese*, que tem a ver com uma virtualização: "No ano 2010, todos os carros, etc.", e em um *julgamento*: "Esta hipótese é verdadeira", que é uma espécie de realização. O mesmo ocorre com a bigorna. Ela será virtual como suporte de bricolagem inventiva e de desvio, mas potencial como reserva de ferro, ferramenta capaz de desgaste etc.

O quadrívio ontológico

Real, possível, atual e virtual são quatro modos de ser diferentes, mas quase sempre operando *juntos* em cada fenômeno concreto que se pode analisar. Toda situação viva faz funcionar uma espécie de motor ontológico a quatro tempos e portanto jamais deve ser "guardada" em bloco num dos quatro compartimentos.

Estou escrevendo em meu computador com o auxílio de um programa de processamento de texto. Sob o aspecto puramente mecânico, uma dialética do potencial e do real está operando, pois, de um lado, as possibilidades do programa e da máquina se realizam e um texto é apresentado (se realiza) na tela, resultante de toda uma série de codificações e traduções bem determinadas. De outro lado, a energia elétrica potencializa a máquina e eu potencializo o texto ao selecionar códigos informáticos por intermédio do teclado.

Paralelamente, atualizo problemas, ideias, intuições, coerções de escrita ao redigir esse texto, cuja releitura modifica em troca o espaço virtual de significações ao qual ele responde (o que constitui portanto uma virtualização).

Vê-se que os processos de potencialização e de realização só adquirem sentido pela dialética da atualização e da virtualização. Simetricamente, os modos de realização e de potencialização do texto (o aspecto puramente técnico ou material, se preferirem) condicionam e influenciam fortemente a criação de uma mensagem significante (dialética da virtualização e da atualização). Capturada pelo real, a dialética do virtual e do atual é reificada. Retomada pelos processos de virtualização e de atualização, possível e real são objetivados ou subjetivados. Assim, o polo do acontecimento não cessa de implicar o polo da substância: complexificação e deslocamento dos problemas, montagem de máquinas subjetivantes, construções e circulações de objetos. É deste modo que o mundo pensa dentro de nós. Mas, em troca, o polo da substância envolve, degrada, fixa e se alimenta do polo do acontecimento: registro, institucionalização, reificação.

142   O que é o virtual?

	Acontecimento envolvido	Substância envolvida
Acontecimento envolvente	Virtualização Atualização	Subjetivação Objetivação
Substância envolvente	Reificação Institucionalização	Realização Potencialização

DUALIDADE DO ACONTECIMENTO E DA SUBSTÂNCIA

O aparente dualismo entre a substância e o acontecimento esconde talvez uma profunda unidade. Na filosofia de Whitehead, os termos últimos da análise filosófica — aquilo que é verdadeiramente — são acontecimentos, chamados ocasiões atuais. As ocasiões atuais são espécies de mônadas transitórias, processos de percepção elementares, geralmente inconscientes, que recebem certos dados de precedentes ocasiões atuais, os interpretam, transmitem a outros sua síntese e desaparecem. Ainda que estejamos dispostos a admitir que as ocasiões atuais sejam a última palavra em "acontecimento" da realidade, mesmo assim somos obrigados a constatar que há de fato, pelo menos em aparência, substâncias permanentes, coisas duráveis. Whitehead resolve o problema explicando nossa experiência das coisas duráveis em termos de *sociedades coordenadas de acontecimentos*, que compartilham e transmitem entre si caracteres particulares. Uma pedra, por exemplo, é uma sociedade de ocasiões atuais semelhantes, que herdam linearmente umas das outras seus dados e suas maneiras de reagir, o que explica que, num curto intervalo de tempo, a pedra conserve mais ou menos a mesma cor, a mesma dureza etc.

Para estabelecer a ponte entre a substância e o acontecimento, poder-se-ia criar a hipótese de que o acontecimento seria uma espécie de substância molecular, miniaturizada, fragmentada até o ato pontual. Simetricamente, a substância não seria senão a aparência de uma sociedade de acontecimentos, uma multidão

O quadrívio ontológico

coordenada de microexperiências grosseiramente agregadas na imagem de uma "coisa": em suma, acontecimento molar.

Aliás, por mais duráveis que sejam, não podem as coisas mais estáveis ser interpretadas como acontecimentos em relação a uma duração que as ultrapassa, como a existência de montanhas na escala da história da Terra? O raciocínio pode evidentemente se inverter: o que é um acontecimento senão o desaparecimento ou o surgimento de uma substância, ou mesmo uma substância evanescente?

Talvez caiba considerar o dualismo da substância e do acontecimento como o yin e o yang na filosofia chinesa clássica: haveria passagem, transformação perpétua de um no outro. Cada um deles exprime uma face não eliminável e complementar dos fenômenos, como a onda e a partícula na física quântica.

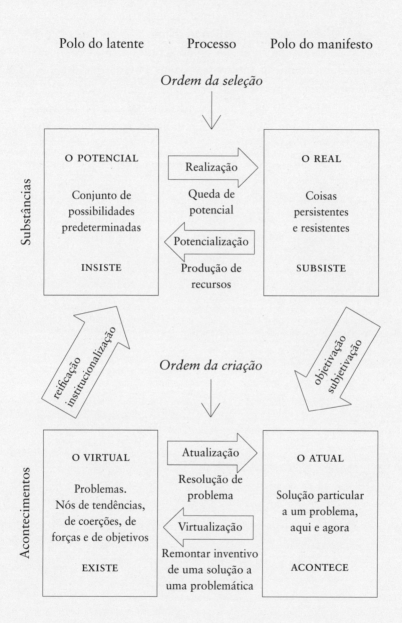

O quadrívio ontológico

Epílogo
BEM-VINDOS AOS CAMINHOS DO VIRTUAL

Gosto do que é frágil, evanescente, único e carnal. Aprecio os seres e os lugares singulares, insubstituíveis, as atmosferas ligadas para sempre a situações e a momentos. Estou convencido de que parte essencial da moral consiste simplesmente em aceitar existir no mundo, em não fugir, em *estar presente* para os outros e para si. Mas o assunto deste livro era a virtualização. Tratei portanto da virtualização. Isto não implica o esquecimento das outras faces do ser; e incito evidentemente, se houver necessidade disso, a leitora, o leitor a não negligenciá-las. É justamente porque o atual é tão precioso que devemos com a maior urgência pensar e aclimatar a virtualização que o desestabiliza. Creio que o sofrimento de submeter-se à virtualização sem compreendê-la é uma das principais causas da loucura e da violência de nosso tempo.

Quis mostrar neste livro que a virtualização é o movimento pelo qual se constituiu e continua a se criar nossa espécie. No entanto, ela é frequentemente vivida como inumana, desumanizante, como a mais aterradora das alteridades em curso. Ao analisá-la, ao pensá-la, ao enaltecê-la às vezes, tentei humanizá-la, inclusive no que diz respeito a mim. Muitos intelectuais atualmente, orgulhosos de seu papel "crítico", acreditam fazer algo digno ao espalhar a confusão e o pânico a respeito da civilização emergente. Quanto a mim, por um trabalho de colocação em palavras, de construção de conceitos e de integração à cultura, quis acompanhar alguns de meus contemporâneos em seu esforço para viver com um pouco menos de medo e de ressentimento. Quis propor ferramentas, através de uma cartografia do virtual, àqueles que, como eu, tentam com grande dificuldade se tornar atores.

A virtualidade não tem absolutamente nada a ver com aquilo que a televisão mostra sobre ela. Não se trata de modo algum de um mundo falso ou imaginário. Ao contrário, a virtualização é a dinâmica mesma do mundo comum, é aquilo através do qual compartilhamos uma realidade. Longe de circunscrever o reino da mentira, o virtual é precisamente o modo de existência de que surgem tanto a verdade como a mentira. Não há verdadeiro e falso entre as formigas, os peixes ou os lobos: apenas pistas e engodos. Os animais não têm pensamento proposicional. Verdade e falsidade são indissociáveis de enunciados articulados; e cada enunciado subentende uma questão. A interrogação é acompanhada de uma estranha tensão mental, desconhecida entre os animais. Esse vácuo ativo, esse vazio seminal é a essência mesma do virtual. Lanço a hipótese de que cada salto a um novo modo de virtualização, cada alargamento do campo dos problemas abrem novos espaços para a verdade e, por consequência, igualmente para a mentira. Viso a verdade lógica, que depende da linguagem e da escrita (dois grandes instrumentos de virtualização), mas também outras formas de verdade, talvez mais essenciais: as que são expressas pela poesia, religião, filosofia, ciência, técnica, e finalmente as humildes e vitais verdades que cada um de nós testemunha em sua existência cotidiana. Uma das mais interessantes entre as vias abertas às pesquisas artísticas contemporâneas é provavelmente a descoberta e a exploração das novas formas de verdade obscuramente arrastadas pela dinâmica da virtualização.

A arte pode tornar perceptível, acessível aos sentidos e às emoções o salto vertiginoso para dentro da virtualização que efetuamos tão frequentemente às cegas e contra nossa vontade. Mas a arte pode também intervir ou interferir no processo. A arquitetura e o *design* fundamentais de nosso tempo acaso não são os do hipercorpo, do hipercórtex, da nova economia dos acontecimentos e da abundância, do flutuante espaço dos saberes? Os artistas supostamente exprimiram a si próprios apenas durante um período muito curto da história da arte. Muitas pesquisas estéticas contemporâneas retornam a práticas arcaicas que consistem em dar consistência, em ceder uma voz à criatividade cósmica. Assim, para o artista, trata-se menos de interpretar o mundo de que permitir que processos biológicos atuais ou hipotéticos, que estruturas matemáticas, que dinâmicas sociais ou coletivas tomem diretamente a palavra. A arte não consiste mais, aqui, em compor uma "mensagem", mas em maquinar um dispositivo que permita à parte ainda muda da criatividade cósmica fazer ouvir seu próprio canto. Um novo tipo de artista aparece, que não conta mais história. É um arquiteto do espaço dos acontecimentos, um engenheiro de mundos para bilhões de histórias por vir. Ele esculpe o virtual.

Falo de arte e de estética porque, como muitos, a consternação me invade assim que considero a instância política tradicional. Mas trata-se, no fim de contas, de fazer prevalecer uma *preocupação artística*, critérios propriamente estéticos (os que acabamos de evocar), um espírito de criação no seio mesmo da ação política, assim como na engenharia mais "puramente técnica" ou — por que não? — nas práticas econômicas.

Por que essa arte transversal deve intervir ativamente na dinâmica da virtualização? Porque a atualização tende com frequência para a realização. Porque a heterogênese pode degenerar em alienação. Porque a invenção de uma nova velocidade se deteriora facilmente em simples aceleração. Porque a virtualização acaba às vezes por desqualificar o atual. Porque a colocação em comum, que é a operação característica da virtualização, oscila muito frequentemente entre o confisco e a exclusão. É preciso uma sensibilidade de artista para perceber em estado nascente essas diferenças, essas defasagens, nas situações concretas. Quando o possível esmaga o virtual, quando a substância sufoca o acontecimento, o papel da arte viva (ou arte da vida) é restabelecer o equilíbrio.

A força e a velocidade da virtualização contemporânea são tão grandes que exilam as pessoas de seus próprios saberes, expulsam-nas de sua identidade, de sua profissão, de seu país. As

Bem-vindos aos caminhos do virtual

pessoas são empurradas nas estradas, amontoam-se nos barcos, acotovelam-se nos aeroportos. Outros, ainda mais numerosos, verdadeiros imigrados da subjetividade, são forçados a um nomadismo do interior. Como responder a essa situação? Resistindo à virtualização, crispando-se sobre os territórios e as identidades ameaçadas? Este é o erro fatal que não deve ser cometido de forma alguma. Pois a consequência só pode ser, com o tempo, o desencadeamento da violência brutal, como os terremotos devastadores que resultam da inelasticidade e do bloqueio mantido por demasiado tempo por alguma placa da crosta terrestre. Devemos antes tentar acompanhar e dar sentido à virtualização, inventando ao mesmo tempo uma nova arte da hospitalidade. A mais alta moral dos nômades deve tornar-se, neste momento de grande desterritorialização, uma nova dimensão estética, o próprio traço da criação. A arte, e portanto a filosofia, a política e a tecnologia que ela inspira e atravessa, deve opor uma virtualização requalificante, inclusiva e hospitaleira à virtualização pervertida que exclui e desqualifica.

Preste atenção à interpelação desta arte, desta filosofia, desta política inédita: "Seres humanos, pessoas daqui e de toda parte, vocês que são arrastados no grande movimento da desterritorialização, vocês que são enxertados no hipercorpo da humanidade e cuja pulsação ecoa as gigantescas pulsações deste hipercorpo, vocês que pensam reunidos e dispersos entre o hipercórtex das nações, vocês que vivem capturados, esquartejados, nesse imenso acontecimento do mundo que não cessa de voltar a si e de recriar-se, vocês que são jogados vivos no virtual, vocês que são pegos nesse enorme salto que nossa espécie efetua em direção à nascente do fluxo do ser, sim, no núcleo mesmo desse estranho turbilhão, vocês estão em sua casa. Bem-vindos à nova morada do gênero humano. Bem-vindos aos caminhos do virtual!".

SELEÇÃO BIBLIOGRÁFICA COMENTADA

AUROUX, Sylvain. *La révolution technologique de la grammatisation*. Liège: Mardaga, 1994.

Uma engenhosa análise das operações de exteriorização e de formalização dos atos de comunicação, por um historiador da linguística.

AUTHIER, Michel; LÉVY, Pierre. *Les Arbres de connaissances*. Paris: La Découverte, 1992.

Como introduzir a dupla articulação e a liberdade do virtual no reconhecimento dos saberes? "Les arbres de connaissances" é uma marca registrada da TriVium®.

AUTHIER, Michel. *"Il ne manque que le ballon!"*, documento fotocopiado da missão Universidade da França, 1991, 4 p.

Texto fulgurante que contém em potência as árvores de conhecimento como "quase objetos" das sociedades contemporâneas e que projeta o esboço de um "equivalente geral" para o saber.

BALPE, Jean-Pierre. *Hyperdocuments, hypertextes, hipermédias*. Paris: Eyrolles, 1990.

Um obra já clássica sobre hipertextos por um dos melhores especialistas franceses.

BATESON, Gregory. *Vers une écologie de l'esprit*, 2 v. Paris: Seuil, 1980.

BATESON, Gregory. *La Nature et la pensée*. Paris: Seuil, 1984.

Gregory Bateson, antropólogo, cibernético, epistemólogo, foi um dos primeiros a pensar a dimensão "ecológica" do psiquismo. Seus trabalhos influenciaram profundamente a escola contemporânea de terapia familiar.

BERARDI, Franco. *Mutazione e cyberpunk*. Gênova: Costa & Nolan, 1994.

Uma análise original da mutação cultural contemporânea relacionada ao desenvolvimento do ciberespaço.

Berardi evidencia a novidade radical da relação contemporânea com a informação.

DEBRAY, Régis. *Manifestes médiologiques*. Paris: Gallimard, 1994.
Arrazoado em favor de uma tomada de consciência das dimensões
"materiais" das ideias e da cultura.

DE KERCKHOVE, Derrick. *Brainframes: Technology, Mind and Business*.
Utrecht: Bosh & Keuning BSO/Origin, 1991.
Um brilhante ensaio de "psicotecnologia" pelo digno sucessor de Marshall McLuhan na Universidade de Toronto.

DE ROSNAY, Joël. *L'Homme symbiotique*. Paris: Seuil, 1995.
Uma impressionante descrição da emergência de uma inteligência coletiva da humanidade nas redes digitais de comunicação. Lamenta-se,
porém, um uso demasiado exclusivo das metáforas biológicas, que
impedem às vezes Joël de Rosnay de situar claramente a dimensão
propriamente humana da inteligência coletiva. Do formigueiro à cultura há mais do que uma diferença de grau.

DELEUZE, Gilles. *Différence et répétition*. Paris: PUF, 1968.
Aprendi nessa obra a diferença entre o possível e o virtual, sobretudo
nas páginas 169 a 176.

DELEUZE, Gilles; GUATTARI, Félix. *L'Anti-Œdipe*. Paris: Minuit, 1972.
DELEUZE, Gilles; GUATTARI, Félix. *Milles plateaux*. Paris: Minuit, 1980.
L'Anti-Œdipe e *Mille plateaux* figuram entre as grandes obras filosóficas do século XX. Nelas se encontram desenvolvidos, em particular,
os conceitos de rizoma, de desterritorialização e a distinção entre
processos molares e moleculares de que usei e abusei em vários de
meus livros.

DESCOLA, Philippe. *Les Lances du crépuscule*. Paris: Plon, 1993.
Belo estudo sobre a cultura jivaro. Da cabeça reduzida do inimigo
como precursora da bola.

EDELMAN, Gerald. *Biologie de la conscience*. Paris: Odile Jacob, 1992. Edição em livro de bolso: Paris, Seuil, 1994. Edição original: *Bright Air,
Brilliant Fire: On the Matter of Mind*. Nova York: Basic Books, 1992.
A hipótese do darwinismo neuronal explicada por um de seus criadores, Prêmio Nobel de Medicina.

ETTIGHOFFER, Denis. *L'entreprise virtuelle ou les nouveaux modes de travail*.
Paris: Odile Jacob, 1992.
Sobre o teletrabalho e a empresa em rede.

EUROTECHNOPOLIS INSTITUT, sob a direção de Gérard BLANC. *Le Travail au
XXIe siècle*. Paris: Dunod, 1995.
Sobre as mutações contemporâneas do trabalho.

GOLDFINGER, Charles. *L'Utile et le futile. L'économie de l'immatériel.* Paris: Odile Jacob, 1994.

Um livro muito bem documentado sobre a mutação atual da economia. Meu capítulo sobre a virtualização da economia lhe deve muito. Contesto, todavia, o conceito de "imaterialidade", que me parece proceder de uma metafísica inadequada para a compreensão das evoluções em curso.

GOODY, Jack. *La Raison graphique.* Paris: Minuit, 1979.

GOODY, Jack. *La Logique de l'écriture, aux origines des sociétés humaines.* Paris: Armand Colin, 1986.

La Raison graphique e *La Logique de l'écriture* analisam as mudanças culturais ligadas à passagem da oralidade à escrita. Por um grande antropólogo, autor do conceito de "tecnologia intelectual".

GUATTARI, Félix. *Chaosmose.* Paris: Galilée, 1992.

Em particular, encontra-se neste pequeno livro um sistema (já apresentado nas *Cartographies schizoanalytiques*) dos "quatro functores ontológicos" baseado no cruzamento do virtual, do atual, do real e do possível:

	Atual	Virtual
Possível	*Phylum* técnicos, ou discursividade maquínica	Universos de valores e de referência, ou complexidade incorporal
Real	Fluxo, ou discursividade energético-espaçotemporal	Territórios existenciais, ou encarnação caósmica

HEIDEGGER, Martin. *Être et temps* (tradução francesa de François Vezin). Paris: Gallimard, 1986. Primeira edição alemã: *Sein und Zeit*, 1927.

A existência concebida como "ser aí". Ontologia contestada por Michel Serres em *Atlas*.

HUITÉMA, Christian. *Et Dieu créa l'Internet.* Paris: Eyrolles, 1995.

Uma divertida desmistificação da rede das redes por um de seus melhores conhecedores.

LATOUR, Bruno. *La Science en action.* Paris: La Découverte, 1989.

Um clássico da nova antropologia das ciências e da técnica. Será interessante aproximar a noção de "móvel imutável" desenvolvida em *La Science en action* da noção de objeto construída em meu livro.

Seleção bibliográfica comentada

LATOUR, Bruno. *La Clef de Berlin*. Paris: La Découverte, 1993.
Estudos de antropologia das ciências e técnicas por um ourives no assunto. Os dois primeiros capítulos do livro tratam especialmente do funcionamento da substituição e da combinação no fato técnico.

LEOPOLDSEDER, Hannes; SCHÖPF, Christine. *Prix Ars Electronica 1995. International Compendium of the Computer Arts*. Linz: ORF, 1995.
Encontra-se nesta obra coletiva um artigo-manifesto de Roy Ascott, pioneiro das artes em rede, "a favor de uma estética do aparecimento", bem como um texto de Derrick de Kerckhove que analisa a arte da Web e a Web como arte.

LEROI-GOURHAN, André. *Le Geste et la parole*, t. 1 e 2. Paris: Albin Michel, 1965.
Uma referência inevitável da antropologia e da filosofia da técnica. Devo muito a seu paralelismo da evolução da linguagem e da técnica ao longo da hominização. Pode-se, no entanto, criticar uma concepção demasiado simplista da ferramenta como prolongamento dos órgãos.

LÉVY, Pierre. *De la programmation considérée comme un des beaux-arts*. Paris: La Découverte, 1992.
Coletânea de estudos críticos de ecologia cognitiva. Análise detalhada, sobre quatro casos concretos, do trabalho inventivo e criativo que é a programação informática "artesanal".

LÉVY, Pierre. *Les Technologies de l'intelligence: l'avenir de la pensée à l'ère informatique*. Paris: La Découverte, 1990. Edição em livro de bolso: Paris, Seuil, 1993.
Uma abordagem filosófica do hipertexto, dos *groupwares* e da simulação. O livro analisa relações entre tecnologias intelectuais e formas culturais à luz das ciências cognitivas, e enuncia o programa de pesquisa de uma "ecologia cognitiva".

LÉVY, Pierre. *L'Inteligence collective: pour une anthropologie du cyberspace*. Paris: La Découverte, 1994.
A inteligência coletiva como projeto de civilização, recolocado em perspectiva por uma teoria dos quatro espaços antropológicos: Terra, Território, Mercadoria, Saber.

MAYERE, Anne. *Pour une économie de l'information*. Paris: Éditions du CNRS, 1990.
A economia da informação do ponto de vista dos documentalistas e dos bibliotecários.

McLuhan, Marshall. *La Galaxie Gutenberg. Face à l'ère électronique.* Montreal: HMH, 1967.

Um dos livros que fizeram compreender o papel capital das técnicas de comunicação na evolução cultural e na formação do psiquismo. Critico sua abordagem demasiado unilateral dos meios de comunicação como "prolongamento dos sentidos".

Rastier, François. "La triade sémiotique, le trivium et la sémantique linguistique", *Nouveaux Actes Sémiotiques*, nº 9, 1990, 54 p.

Por um dos melhores linguistas franceses, um estudo engenhoso da analogia entre a classificação moderna "sintaxe, semântica e pragmática" e o antigo trívio "gramática, dialética e retórica". Rastier mostra a relação entre essas tripartições e a tríade semiótica de base: significante, significado, referente, ou ainda *vox, conceptus* e *res*. Minha concepção do trívio antropológico deriva da leitura desse artigo.

Reichholf, Joseph. *Mouvement animal et évolution. Courir, voler, nager, sauter.* Paris: Flammarion, 1994. Edição original em alemão pela Deutscher Taschenbücher Verlag, Munique, 1992.

Movimento, locomoção e velocidade, no mundo animal e vivo. A virtualização pela mobilidade.

Rheingold, Howard. *Les Communautés virtuelles.* Paris: Addison-Wesley France, 1995. Edição original: *Virtual Community*, Nova York, Addison-Wesley, 1993.

Howard Rheingold participou ele próprio, durante dez anos, de uma comunidade virtual. O livro contém, em particular, um precioso histórico da comunicação assistida por computadores e um estudo interessante dos MUDDs, jogos de papéis em redes de computadores.

Rheingold, Howard. *La Réalité virtuelle.* Paris, Dunod, 1993. Edição original: *Virtual Reality*, Nova York, Simon & Schuster, 1991.

Uma das melhores obras sobre o assunto para o grande público, com vulgarização técnica, histórica e apresentação dos atores.

Serres, Michel. *Le Parasite.* Paris: Grasset, 1980.

Um grande livro de antropologia filosófica. Michel Serres trata sob o mesmo ângulo de relações sociais, biologia, teoria da comunicação e metafísica. É em *Le Parasite* que se acha enunciada pela primeira vez a teoria do quase objeto que, ao circular, constitui o coletivo.

Serres, Michel. *Statues.* Paris: François Bourin, 1987.

Excelente meditação sobre a passagem contínua do objeto ao sujeito e do sujeito ao objeto.

Seleção bibliográfica comentada

SERRES, Michel. *Atlas*. Paris: Julliard, 1994.

Um belo livro sobre a nova civilização ligada à informática e à mutação das comunicações. A obra apresenta igualmente uma análise interessante do virtual como "fora-do-aí". Pena que Michel Serres não tenha se dado o trabalho de distinguir entre os diferentes dispositivos de comunicação, os efeitos da televisão sendo com frequência misturados aos da Internet!

SHAPIN, Steven; SCHAFFER, Simon. *Léviathan et la pompe à air*. Paris: La Découverte, 1993. Edição original: *Leviathan and the Air Pump*, Princeton: Princeton University Press, 1985.

A construção movimentada da comunidade científica "experimentalista" no século XVII. Na qual percebemos que a ciência contemporânea se constituiu ao produzir para si objetos comuns.

SPERBER, Dan. "Anthropology and Psychology: Towards an Epidemiology of Representations", *Man*, NS, n° 20, pp. 73-89.

Põe em cena a analogia entre vírus e representações mentais. A epidemiologia das representações varia, evidentemente, conforme os sistemas de comunicação presentes no ambiente cultural. Esse artigo permitiu-me pensar em um mesmo "plano de imanência" os dispositivos materiais e as funções psíquicas.

STENGERS, Isabelle. *L'Invention des sciences modernes*. Paris: La Découverte, 1993.

A ciência é compreendida aqui como invenções de provas capazes de suscitar coletivos. Este livro de Isabelle Stengers permite uma apreciação do valor único da ciência moderna sem, contudo, desqualificar outros modos de conhecimento e de interrogação do real. Do humor como fundamento sem fundamento da ética do conhecimento.

STENGERS, Isabelle, (org.). *L'Effet Whitehead*. Paris: Vrin, 1994.

Obra coletiva que é uma boa introdução à leitura de Whitehead. Descobre-se uma grande filosofia do acontecimento e da criatividade.

TOFFLER, Alvin. *Les Nouveaux pouvoirs*. Paris: Fayard, 1991. Edição original: *Powershift*, Nova York, Bantham Books, 1990.

Um pouco confuso mas repleto de informações sobre a virtualização contemporânea da economia e da sociedade.

TOFFLER, Alvin; TOFFLER, Heidi. *Guerre et contre-guerre*. Paris: Fayard, 1994. Edição original: *War and Anti-War*, Little, Brown & Co, Nova York, 1993.

A virtualização da guerra como reveladora da mutação em andamento.

WHITEHEAD, Alfred North. *Aventures d'idées*. Paris: Le Cerf, 1993. Edição original: *Adventures of Ideas*, Londres, Macmillan, 1933.

O progresso da civilização visto como a vitória da persuasão sobre a força, com um resumo do sistema metafísico do autor.

WHITEHEAD, Alfred North. *Procès et réalité*. Paris: Gallimard, 1995. Edição original: *Process and Reality*, Londres, Macmillan, 1929.

A ocasião atual, acontecimento elementar, gota de experiência, fluxo microscópico de percepção afetiva (a distinguir da sensação consciente) como realidade última. Filosofia do acontecimento e da criatividade cósmica.

SOBRE O AUTOR

Pierre Lévy nasceu em 1956 em Túnis, capital da Tunísia. Em Paris, fez o mestrado em História das Ciências na Sorbonne (1980) e o doutorado em Sociologia na EHESS (1983), obtendo o PhD em Ciências da Informação e da Comunicação na Universidade de Grenoble (1991). Lecionou na Universidade do Québec em Montreal (1987-89), na Universidade Paris X-Nanterre (1990-92), na Universidade Paris VIII-Saint-Denis (1993-98) e na Universidade de Ottawa (2002-16). É professor associado da Universidade de Montreal, membro da Société Royale du Canada e mantém um blog na internet: <pierrelevyblog.com>. Publicou:

La Machine univers: création, cognition et culture informatique. Paris: La Découverte, 1987 (edição brasileira: *A máquina universo: criação, cognição e cultura informática.* Porto Alegre: Artmed, 1998).

Les Technologies de l'intelligence: l'avenir de la pensée à l'ère informatique. Paris: La Découverte, 1990 (edição brasileira: *As tecnologias da inteligência: o futuro do pensamento na era da informática.* Rio de Janeiro: Editora 34, 1993).

L'Idéographie dynamique: vers une imagination artificielle? Paris: La Découverte, 1991 (edição brasileira: *A ideografia dinâmica: rumo a uma imaginação artificial?* São Paulo: Loyola, 1998).

De la programmation considérée comme un des beaux-arts. Paris: La Découverte, 1992.

Les Arbres de connaissances (com Michel Authier). Paris: La Découverte, 1992 (edição brasileira: *As árvores de conhecimentos.* São Paulo: Escuta, 1998).

L'Intelligence collective: pour une anthropologie du cyberespace. Paris: La Découverte, 1994 (edição brasileira: *A inteligência coletiva: por uma antropologia do ciberespaço.* São Paulo: Loyola, 1998).

Qu'est-ce que le virtuel? Paris: La Découverte, 1995 (edição brasileira: *O que é o virtual?* São Paulo: Editora 34, 1996).

Cyberculture. Paris: Odile Jacob, 1997 (edição brasileira: *Cibercultura*. São Paulo: Editora 34, 1999).

Le Feu libérateur (com Darcia Labrosse). Paris: Arléa, 1999 (edição brasileira: *O fogo liberador*. São Paulo: Iluminuras, 2000).

World philosophie: le marché, le cyberespace, la conscience. Paris: Odile Jacob, 2000 (edição brasileira: *A conexão planetária: o mercado, o ciberespaço, a consciência*. São Paulo: Editora 34, 2001).

Cyberdémocratie. Paris: Odile Jacob, 2002 (edição brasileira, modificada: *O futuro da internet: em direção a uma ciberdemocracia planetária*, com André Lemos. São Paulo: Paulus, 2010).

La Sphère sémantique 1. Computation, cognition, économie de l'information. Paris: Lavoisier, 2011 (edição brasileira: *A esfera semântica, tomo I. Computação, cognição, economia da informação*. São Paulo: Annablume, 2014).

Este livro foi composto em Sabon, pela Bracher & Malta, com CTP da New Print e impressão da Graphium em papel Pólen Natural 80 g/m² da Cia. Suzano de Papel e Celulose para a Editora 34, em junho de 2023.